福岡市長
高島宗一郎の
日本を
最速で
変える方法

はじめに

スタートアップなくして、その国の未来はない

あなたは今、日本という国を、どのように捉えているでしょうか？

未来に希望が持てる、可能性にあふれた国か。

それとも、閉塞感のある、斜陽の国か。

残念ながら、後者のイメージを抱く人が増えていると感じています。

私は２０１０年以来、10年以上にわたり、福岡市長を務めてきました。「地方からのチャレンジこそが、日本を最速で変えていく」という信念のもと、福岡市でさまざまな取り組みを行ってきましたが、特に若い人たちから「自分たちの世代に明るい未来など来るはずがない」「アメリカや中国に勝てるとは思っていない」といった話を聞くたびに、

とても悔しい気持ちになります。

経済大国として揺るぎない地位を獲得し、世界からはエコノミックアニマルと呼ばれるほどの貪欲さを持っていた日本はいつから、このような凡庸な国になってしまったのでしょうか？　自国に対する自信をいつ失ってしまったのでしょうか？

私は１９７４年に生まれました。いわゆる「団塊ジュニア世代」です。高度成長はすでに終わっていましたが、日本は世界一の技術大国として君臨し、商社も家電メーカーも自動車産業も、新たな市場を求めて海外に積極的に進出し、日本の屋台骨を支えていました。

ところが、１９９０年代にバブル経済が崩壊し、世界がＩＴ時代に移行する中、日本は完全に、その流れに乗り遅れてしまいました。代わって、私たちが「発展途上国」だと教科書で習った国々が、社会の不完全な部分にスムーズにＩＴを実装し、日本を凌駕《りょうが》するようになりました。完全に立場が逆転してしまったのです。

そして、このままでは、日本と世界の差は今後ますます広がることになるでしょう。

なぜなら、今の日本には、圧倒的にスタートアップ企業の数が足りないからです。スタートアップ企業は、10年後、20年後に大企業に成長する可能性のある会社であり、将来の日本の希望です。その希望が、今の日本には圧倒的に少ないのです。

日本にもかつて、新しい企業がたくさん生まれ、活躍した時期がありました。都心部にオフィスを構えている、高度成長期の日本を牽引《けんいん》してきた大企業のほとんどは、戦後に生まれたスタートアップ企業だったのです。

しかし、いったん制度や仕組みが完成して成熟した日本では、新しいものを社会に実装することによる劇的な利便性の向上を感じにくくなってしまっています。そして、いつの間にか失敗を恐れ、冒険をしなくなる「ゼロリスク神話」に冒されてしまいました。

「挑戦すれば既得権からの抵抗や省庁の規制に足を引っ張られ、手続きにとんでもなく無駄な時間を取られる」「マスコミにリスクを大きく取り上げられるのが怖いので、慎重にならざるを得ない」と、多くの人が萎縮してチャレンジに二の足を踏む、そんな小さな社会になってしまったのです。

ちなみに、海外のスタートアップイベントでは40代や50代の参加者も多いのですが、日本では若者が大部分を占めています。

若者が生み出す既成概念を超える発想は、無限大の可能性を秘めています。世界的にも若年層が素晴らしい企業を生み出しているのも事実です。しかし、40代や50代の人材によるスタートアップは、経験や資金、販路などをすでに持っているため、成功確率が高いともいわれています。ミドル世代の起業の多さは、スタートアップのムーブメントを加速させる重要なファクターとなるのですが、優秀な人材が大企業のような既得権サイドからなかなか飛び出さないのが日本の現状だと思います。

日本が、チャレンジを恐れる小さな社会となってしまった原因の一つとなっているのが、少子高齢化です。

現在の日本は、20代、30代の若者世代よりも高齢者の人口が多く、選挙における高齢者票の影響力も非常に大きなものがあります。また、国会議員、市長や知事なども60代以上が中心であり、社会制度を作る側の年齢的ダイバーシティーも、とても進んでいるとは言えない状況です。

現役世代、特に若者は、政治や行政に対して意見を反映させていくという点では、努力以前の問題として、すでに構造的に弱者の立場に立たされていると言わざるを得ないのです。このような社会では、どうしても高齢者を優遇する政策がとられやすく、その負担はすべて現役世代や将来の世代へと回されます。しかも、少子高齢社会は今後数十年間続くことが予想されており、こうした傾向はますます強まっていくことでしょう。

ビジネスの分野においても、さまざまな業界が団体を作って既得権を握っていることが多いため、若い人たちのチャレンジが、そういった既得権サイドに妨害されることも少なくありません。

既存業界は、新たなイノベーションを起こせずとも、選挙運動やロビー活動で政治や行政に対し、巧みにアプローチを行うことで、市場へのライバルの参入を防ぎ、自社の立場を守ります。これこそが、若者にはないベテランの経験値であり、企業として生き抜いていくための知恵なのです。

こうした背景もあり、日本はスタートアップが生まれにくく、育ちにくい国になりました。

アメリカの調査会社ＣＢインサイツのデータによると、２０２１年5月時点で、世界には６７０のユニコーン企業（評価額が10億ドル以上、設立10年以内の非上場のスタートアップ企業）があり、国別の数を見ると、アメリカが３４８社でトップ、中国が１３８社と続き、３位がインドで32社、日本はわずか5社です。主要各国が2桁、3桁のユニコーンの企業数で、一気に世界市場のシェアを取りにいっている中、日本は弾数自体が足りていません。それどころか、規制や既得権といった国内の事情により、その芽が成長すること自体が阻まれています。

福岡市では２０１２年にスタートアップ都市宣言をし、三重県の鈴木英敬知事、広島県の湯﨑英彦知事、千葉市の熊谷俊人前市長（現千葉県知事）、青森市の小野寺晃彦市長、つくば市の五十嵐立青市長、浜松市の鈴木康友市長、別府市の長野恭紘市長、日南市の﨑田恭平前市長という、思いを共にする各地の首長とスタートアップ都市推進協議会を立ち上げて切磋琢磨をしています。しかし、省庁を複雑に跨《また》いだ規制を前に、日々、大変な労力と時間を費やしている状態です。

日本が前に進むスピードと諸外国のスピードが違いすぎて、この数年でも大きく差が開いてしまっているのです。

「データ」と「感染症」時代に備えよ

ここまで、新たなスタートアップ企業を生み出せない日本の現状について触れてきましたが、今後、日本にとっては「データ」や「感染症」への取り組みの遅れが、より大きな問題としてクローズアップされるのではないかと考えています。

2021年3月、日本国内に8600万人もの利用者を抱える無料通信アプリ「LINE」について、中国の関連会社が利用者の個人情報にアクセスできる状態になっていたことが大きく報道されました。

LINEがコミュニケーションツールや行政情報のプラットフォームとして、社会インフラに等しい役割を担っていたこと、ヤフーを傘下に置くZホールディングスと経営統合した直後だったこともあり、特に注目されることとなりました。

しかし、LINEほど注目されていないだけで、中国や韓国に開発を委託したり、データセンターを置いたりしている日本企業は、直接的にも間接的にも数多くあります。むしろ、海外に委託しなければ、日本の企業はもはや回らないとも言えるかもしれません。

また、日本のＩＴ企業の多くは国内向けサービスにとどまっており、ＦａｃｅｂｏｏｋやＴｗｉｔｔｅｒ、Ｉｎｓｔａｇｒａｍ、ＴｉｋＴｏｋなど、現在、世界中に多くのユーザーを抱えるアプリに日本発のものは見当たりません。ＬＩＮＥに限らず、こうしたアプリの開発やデータの管理も、もちろん海外で行われているでしょう。

これは日本の成長戦略と安全保障の根幹に関わる問題です。「ＩＴ技術やグローバル展開が今後の企業活動にとって必須となる中、国境を越えた企業間の取引の自由度と個人情報管理をはじめとする国家の安全保障をどのレベルで調和させるのか」は、のちに触れるエネルギー政策なども含めて、もっと本質的に議論されるべきテーマだと、私は考えています。

中国では２０００年代前半からインターネット規制が行われており、ＬＩＮＥや

Ｆａｃｅｂｏｏｋなども使えないようになっています。その代わりに似たような中国産アプリがたくさん作られました。そうした状況を見て、「アメリカのアイデアをパクっている」程度にしか認識せず、鼻で笑っていた人は、日本にもたくさんいたはずです。

ところが、そこで取得できる膨大な情報の価値にようやく気づき始め、多くの人は、長期的視野に立った中国の国家戦略に、驚きと恐怖を感じるようになりました。しかも中国は２０１７年に、国家情報法を制定しており、いかなる組織および国民も、国の情報収集活動に協力しなければならないと義務づけられています。

従って、欧米企業であれ、日本企業であれ、中国にデータを預けている以上、情報はいくらでも抜き取られる可能性があるのです。多くの人は、スマートフォンでアプリを使うとき、小さな文字で書かれた規約などは読まずに、無造作に「同意ボタン」を押しているのではないでしょうか。その時点で、アプリ上に入力した情報は企業に、そしてデータサーバーのある国に流れているのです。

世の中には、無料で便利に使えるアプリがたくさんあります。それを利用する代償として、私たちは個人情報を提供しており、企業は集められた個人の属性を分析して広告を表示したり、商品開発を行ったりしています。個人情報の収集自体が悪いわけではないので、その使い道と、サービスによって受ける便益とをユーザー一人ひとりが冷静に判断することも大切です。さらに言えば、自分の端末をネットにつなぐ時点で、どれほどセキュリティーを強化しても、絶対に安全ということはありませんから、政府に対して個人情報管理に関する安全保障政策を求めるばかりでなく、国民一人ひとりがＩＴリテラシーを高めていくことも欠かせないと思います。

では、その安全保障の観点から、システム開発もデータセンターも国内完結型にしたとして、国際競争力を持ったサービスを生み出すことは可能なのでしょうか？　それが可能なら、どの企業も海外サーバーを利用しませんよね。

データセンターが大量の電力を消費することは周知の事実かと思いますが、その規模は日本国内の消費電力全体の１００分の1に達するほどだといわれています。経営的な面から考えると、原子力発電所の多くが止まり、電気料金が高い日本にデータセンターを置くメリットは少ないでしょう。

また、データセンターの運営には、電力量だけでなく、電力の安定的な供給も不可欠ですが、日本では、台風や地震といった自然災害による電力供給の停止や、酷暑と寒波のたびに懸念される電力のひっ迫などが毎年のようにニュースになります。

つまり、日本にデータセンターを置くリスクは、相当に大きいというのが国際的な評価なのです。

「情報こそが命」となる時代を前にして、我が国はこれまでどのような国家戦略を描いてきたのでしょうか。エネルギー政策の議論を先送りしてきたツケが、一見関係ないと思われる産業にも、深く静かに影を落としているのです。

ワクチン研究開発能力の向上で有事に備える

一方、感染症への取り組みの遅れは、戦後、GHQ（連合国軍最高司令官総司令部）主導で日本の国の「作り直し」が行われ、戦争をしない仕組みが徹底的に作られたこと、そのために軍事転用の可能性がある技術の研究や開発が進められなかったことと大きく関わっています。

ここで言う「軍事」とは、戦闘機、ミサイル、爆弾を用いた、国家間の戦争だけを指すものではありません。バイオテロ対策やサイバーテロ対策といった防衛面、あるいは宇宙開発のような国家間の覇権争いも含みます。むしろ、こういった分野こそが、今後の軍事技術の大きな柱になっていくのではないかと思います。

火力を使った戦争では、誰が攻撃を加え、誰が被害を受けたかが、今やメディアやSNSなどを通して一瞬で世界中に伝わるため、加害者側が国際的な非難・制裁を受けることは避けられません。

しかし、たとえばバイオテロならどうでしょうか？　加害者がわかりにくいうえ、相手国に大きなダメージを与えることが可能です。バイオテロと聞くと、致死率の高い病原菌やウイルスをイメージしがちですが、新型コロナウイルスの感染拡大は、致死率は高くなくても、絶え間なく感染が続くことで、世界中の社会、経済に大きな打撃を与えることができるという事実を証明してしまいました。残念なことですが、この事実を悪用するテロリストがいるという前提で考えなければ国民の命は守れません。そういう意味で、今後、バイオテロのリスクは、世界でますます高まるのではないかと危惧しています。

バイオテロに対抗するためには、ワクチン研究が必須となります。しかし一般的にワクチンの開発には多大な資金と時間がかかり、民間企業だけで経験とノウハウを蓄積することは大変困難です。新型コロナウイルスにおいても、いち早くワクチンの製造に成功したのは、ＳＡＲＳなど過去の感染症の経験に加えて、軍事・防衛に関する研究が進んだ国々であり、日本は大きく出遅れています。

今後日本を襲ってくるウイルスが自然由来なのかバイオテロなのかにかかわらず、国民の命を守ること、つまり安全保障の観点から有事に備えることは大変重要です。今回のコロナ禍によって、国産ワクチンの開発スピードの遅さが、国民を苦しめることになるのを、多くの日本人が痛いほどわかったのではないでしょうか。

ワクチンの研究と開発能力向上を、国家を挙げて進めなければ、今後想定される感染症、パンデミック時代の脅威に備えることはできません。

自由と民主主義を大切にしながら、データ活用と感染症対策を進める

これからの時代は、「データ」と「感染症」が大きなキーワードとなります。そして残念ながら、この2つは、現在の日本が最も苦手とする分野であるといえます。

1991年にソビエト連邦が崩壊して米ソの冷戦時代が終わり、いったんは民主主義が勝利を収めたかのように見えましたが、データ管理・活用においても感染症対策においても、実は一党独裁の方が有利であることが明らかになりつつあります。個人の自由を尊重すればするほど、感染症や公衆衛生への対策は難しくなり、個人情報保護という観点から、データを管理・活用できる範囲も限られてくるからです。

私はもちろん、日本の未来が、「国家による監視社会」というディストピアであってほしいとは思いません。しかし、民主主義国家として自由と民主主義を大切にしながら、一

方で国家として確固たる戦略をもって、データの活用や感染症への対策ができるようにならなければ、これからの時代を乗り切ることはできないでしょう。

そのためにも、「個人の自由」と「公共のための私権制限」のどこに線を引けばいいのか。民主主義に突きつけられた挑戦状にどう回答するのか。私たちは次世代にどのような未来を残したいのか。

そういったことを、しっかりと考えていかなければなりません。

この本を書くことにしたのは、日本が抱える多くの問題を解決し、日本を希望の持てる国、安心して暮らせる国にするためにはどうしたらよいのか、私なりに真剣に考えてきたことを共有し、多くの方が考え、行動するきっかけになればと思ったからです。

この本では、「データ連携」「DX（デジタル・トランスフォーメーション）」から「感染症対応」「街づくり」「規制緩和のノウハウ」まで、日本が直面している現状や、コロナ禍が可視化した日本のさまざまな課題について、幅広く記しました。

私はそれぞれの分野の専門家ではありませんが、行政の長としてあらゆる分野の情報が入ってきます。その情報を俯瞰《ふかん》することで、それぞれの分野の課題に加えて、日本全体が抱える構造的な問題が見えてきました。

たとえば、新型コロナウイルスに関する政府や自治体の対応に不満を感じている人もいるでしょう。そんな方には、自治体の現場で感じた日本の危機的な状況を事例を交えながら、できるだけわかりやすくお伝えしたいと思います。コロナ対応の問題の本質は、戦後私たち日本人の中に醸成されてきた特有の意識にあるのではないかと考えるに至りました。このことを知っていただき、政府の対応を変えるには私たち国民も変わる必要があるのだと感じてほしいと思います。

また、少子高齢化やＤＸの遅れに危機感を持ち、実際に日本を変えるチャレンジをしている人の中には、どこでチャレンジしたらよいかわからないとか、行政に理解してもらえないと苦心している方もいるでしょう。そんな方には、福岡市が実践しているチャレンジや規制緩和のノウハウをシェアします。ぜひ、実際に規制や既得権を突破できる人材になってほしいと思います。

私は、福岡市長として、自治体運営の点から、日本を変えていくためのチャレンジをしています。しかし、基礎自治体の長としてできることは限られています。一方で、みなさん一人ひとりが、それぞれ日本を変えるためにできることがあります。

そんな日本を「最速で変える」ための方法やヒントについて、できるだけわかりやすい言葉で紹介していきます。

この本が、これから新しいビジネスを始めたい、社会をもっと良くしたい、そして何よりも自分の手で未来を創造したいという熱い思いを持った多くのチャレンジャーの後押しになれば幸いです。

目次

日本を最速で変える方法

第二章　データ連携、DXが日本の全国民を救う
―日本復活の糸口―

第五章 未来を創れる国に
―目を背けていた問題に立ち向かう―……197

第一章

なぜ日本は変化に弱いのか？

コロナが浮き彫りにした日本のボトルネック

コロナのピンチを〝日本再興〟のチャンスに

あなたの熱い思いは、なぜ国や行政に届かないのか

『日本を最速で変える方法』。

タイトルに引かれてこの本を手にしたあなたは、おそらく、今の日本社会に疑問を感じ、将来を案じ、「社会を変えたい」「社会を良くしたい」と考えているのではないでしょうか。

日本は今、少子高齢化および人口減少とそれに伴う経済力の低下といった構造的な問題から、人手不足や教育問題、所得格差の広がり、エネルギー問題、安全保障、老々介護に至るまで、数多くの課題を抱えています。

また、2020年に始まったコロナ禍は、日本という国がいかに有事対応に弱いかを

白日のもとにさらしました。国と地方の曖昧な権限と責任、デジタル化の遅れ、外出自粛要請のような中途半端な私権制限や共感の得られない営業補償など、まさに統治機構としての国家の弱点が可視化されてしまったのです。

ほかにも、オンライン教育の普及が遅れている、マイナンバーカードが中途半端で利便を感じられない、テクノロジーの進化が社会に実装されるスピードが遅いなど、日本が直面している問題は枚挙にいとまがありません。

もしかしたらあなたは、こうした数々の問題について考えるだけでなく、実際に問題を解決し、社会を変えるための行動をすでに始めているかもしれません。

そして、残念ながら、そうした考えや行動がなかなか政治家や行政の担当者に届かず、社会の変化につながらないことで、歯がゆい思いをされているかもしれません。

なぜ、この国は変化が遅いのか？

なぜ、この国難に当たって、政治家はあなたが思うような対策を取らないのか？

なぜ、あなたの行動が社会の変化につながらないのか？

理由はいろいろと考えられますが、あなたは経済やビジネスには詳しくても、日本が抱えている構造的な問題や、政治や行政の力学や、規制緩和が必要な新規ビジネスが社会に実装されるための制度変更の仕組みといったものを、まだきちんと理解できていないのかもしれません。あるいは、あなたのその熱い思いの届け方、行動の仕方が間違っているのかもしれません。

社会を動かすための「支点」「力点」「作用点」を理解する

日本において、有事への対応が遅かったり、変化に時間がかかったりする大きな理由としては、まず、日本の政治や社会が「物事が簡単に決められないシステム」になっていること、人々が軍事関連技術の発達や国による個人情報の管理に対し、抵抗感を抱いていることなどが挙げられます。これらについてはのちに詳しくお話ししますが、いずれも、太平洋戦争への反省から、戦後の日本が、戦争につながりかねないものを徹底的に排除してきたことに端を発しています。

次に挙げられるのが、システムや製品などに対し、人々が抱く根強い「ゼロリスク神話」です。

あらゆる物事に対し「100％の安全を求める」という、この国全体を覆っている空気が、国や行政の動きを鈍らせ、新しいサービスや技術が社会に実装されるのを阻んでいることは否めません。

また、新しいサービスや技術を社会に実装させていこうとする際、その分野の業界団体など、いわゆる「既得権者」サイドの猛烈な反対を受けることもあります。新規参入者の登場は、既得権者にとっては、それまで享受していた利益を失うことにつながりかねないからです。

そして、政治家は特定の業界団体などから選挙を応援してもらったり、物心両面で支援を受けたりしていることが少なくありません。新しいサービスや技術が社会で使われるためには、しばしば規制緩和が必要となりますが、既得権サイドの業界団体から支援を受けているいわゆる「族議員」の反対により妨げられることもあります。

このように、世の中、特に政治の世界には教科書には書かれていないような仕組み、ルールがたくさんあります。

法律や規制、政治の仕組みを知らなければ、ビジネスを成功させるにも、社会を変えるにも、無駄に大きな力が必要です。

「たくさんの時間とエネルギーを費やしたにもかかわらず、目的が達成できない」という結果に陥ってしまうこともあるでしょう。

しかし、「てこの原理」を使えば、弱い力でも重いものを動かせるようになります。仕組みを知り、「支点」「力点」「作用点」を的確に見極め、「どこにどのように働きかけると、できるだけ無駄なく目的を達成できるか」がわかるようになれば、ビジネスを成功させることも、社会を変えることも、はるかにスムーズに実現できるようになるでしょう。

さらに、少子高齢化・人口減少が進む中、これからの日本は人手不足や国力の低下がますます深刻化すると考えられます。

企業間の生き残りをかけた競争も、より激化するでしょう。

そうした中で、日本を救うのは、新しいテクノロジーやサービスであると、私は思っています。

せっかくの新しいテクノロジーやサービスが、社会に実装されない、単なる「展示会場向けのもの」「ピッチ大会で優勝するアイデア」だけに終わらないためにも、みなさんにはぜひ、政治の仕組みと、社会を変えるための正しい動き方を知っていただきたいと、私は考えているのです。

コロナ禍は、日本が変化し飛躍する大きなチャンス

2020年の初春から、強い感染力を持つ新型コロナウイルス感染症が世界中で猛威をふるい、世界の社会、経済に甚大な影響を及ぼしました。

日本ももちろん例外ではなく、旅行や外出、会食など国民の行動自粛、拡大初期の段階でのマスク、消毒薬などの不足や悪質な転売、感染拡大に伴う医療体制のひっ迫、飲食業界や旅行関連産業への打撃、失業者の増加などが発生しました。また、学校も長らく休校となり、学業の深刻な遅れはもちろんのこと、成長の過程において、人との触れ合いが不可欠な子どもたちは窮屈な生活を強いられました。

みなさんも、伸び伸びとした日常や友人たちとの交流の場を奪われ、さぞつらい思いをされたのではないでしょうか。

そして今、人々は「新しい生活様式」への移行を余儀なくされていますが、見方を変えれば、これは大きなチャンスと捉えることもできます。

たとえば、教育分野では、これまでなかなか進まなかったタブレット端末の配布やオンライン授業の導入など、急速にＤＸが進展しました。医療分野でも、これまでオンライン診療を行う場合、初診は対面での診療が原則であり、対象も慢性疾患患者など限定的だったものが、新型コロナウイルスの感染拡大を受け、初診でも、また慢性疾患患者以外でも可能とされました。

コロナ禍が収束すれば、再び規制強化の流れに傾く可能性も高く、警戒は必要です。しかし、いずれにしても、国から「特例的に」許可されたものは、そもそも平時においても規制する必要がなかったものが多く、コロナ禍によって、それらが可視化されたと言えるでしょう。

このように、「コロナ」という理由によって、現在さまざまな規制や基準が緩和されています。

これは歓迎すべきことだと私は思います。

福岡市でも、コロナ禍を機に、「感染症対応シティ」という新しい街づくりのコンセプトを打ち出し、感染症時代を見据えた攻めの戦略として都市の再開発を進め、国際競争力を得るためにいち早く舵を切っています。

コロナ禍という非常事態の中で、例外的に規制を緩めなければ対応できないこと、今までのやり方ではどうにもならないことが増え、これまで過去の経緯やしがらみなどによってなかなか前に進めることができなかった物事を、実現できる可能性が飛躍的に高まっているのです。

今はいわば「社会が柔らかい」時期です。

この状況を最大限生かすとするならば、日本経済が活力を失った1990年代初頭のバブル崩壊以降、30年に一度の飛躍の機会が訪れていると言っても過言ではありません。

なぜ日本は変化にかくも時間がかかるのか

新型コロナウイルス感染拡大で指摘された、日本の対応の遅さここで、スピード感を持って日本が抱える問題を解決していくときに、いったい何がボトルネックになっているのか、改めて詳しくお話ししたいと思います。

私は、日本という国がとても好きです。

気候が良く、四季も豊かで、食べものもおいしい。

平和で、長い年月をかけて磨き上げられてきた、素晴らしい文化や芸術もたくさんあります。

ただ、未来に思いを馳せると、日本には、変わっていかなければならないところも多々あると感じています。

今後、グローバル化やＩＴ化がさらに進む中で、そして少子高齢化が加速する中で、日本がさまざまな課題に直面することは容易に想像できます。

そうした課題を乗り越え、日本が素晴らしい国であり続けるためには、障壁となっているものを取り除いていく必要があります。

すでにお話ししたように、新型コロナウイルスの感染拡大は、世界の多くの人々を苦しめ、それぞれの国が、感染拡大防止策と生活に困窮する国民の救済策を実施しました。

その代表的なものの一つが、国民に対する給付金の支給です。国によって支給する金額や支給の対象はまちまちでしたが、基本的には、経済活動の停滞によって収入が減少したり、職を失ったりした人たちの救済を緊急に図ろうとするものでした。

日本でも、2020年4月20日、「新型コロナウイルス感染症緊急経済対策」が閣議決定され、新型コロナウイルスの感染拡大に伴い、ダメージを受けた家計への支援を行うため、国民一人当たり10万円ずつ、特別定額給付金が支給されることとなりました。当初は「コロナ禍により、著しく所得が下がった人のみを対象に、30万円を給付する」という案もあったのですが、最終的に一律10万円の給付となったのは、全国民の所得を調べ、給付対象者を絞り込むには膨大な時間がかかると判断されたためです。

その後、自治体を通じた給付の準備が進められましたが、実際の給付は遅々として進みませんでした。

特に遅れていたのは多くの人口を抱える政令指定都市です。2020年6月下旬、全国で約7割の世帯への給付が完了していたにもかかわらず、給付率が1割程度にとどまる政令指定都市が複数存在していることが報道され、多くの批判を浴びました。福岡市でも給付金が迅速に振り込まれないことに激昂した市民が相談窓口で暴れ、逮捕される事件も発生しました。

ひるがえって海外の例を見ると、人口が日本の約2.5倍、国土は約26倍あるにもかかわらず、アメリカでは3月末に年収9万9000ドル以下のすべての個人に対する給付金の支給が決定され、なんと決定から2週間後には、銀行の個人口座への振り込みが開始されていました。

ヨーロッパ各国も同様の個人給付を行いましたが、いずれも給付のスピードは早く、諸外国に比べて日本の支給事務の停滞が際立ちました。「支給があまりに遅い」、「国や自治体は何をしている」といった批判と怨嗟《えんさ》の声が、ネットや新聞、雑誌の紙面にあふれたのもこの頃です。

データ管理が危機対応のボトルネックに

この給付の遅さの根本の原因はどこにあったのでしょうか？　支給に関わる日本の政府や自治体の職員が愚鈍で怠惰だったから手続きが遅れたのでしょうか？

私が自治体の当事者だから言うわけではありませんが、むしろ職員は先の見えない未曾有の事態の中で、膨大な事務量に追われながら民間事業者と一緒になって、1日でも早く振り込むべく、真摯に業務に取り組んでいました。

ではなぜ、諸外国に比べて給付が遅れたのか？

その根本的な原因は、実は「個人データの管理」にあります。

たとえばアメリカでは、社会保障番号（ソーシャルセキュリティーナンバー）に国民のさまざまな情報がひもづけられています。今回もアメリカ政府は、この番号をキーにして、氏名や年齢、住所の情報に所得の情報などを組み合わせ、事前に把握している個人の銀行口座に給付金を振り込みました。

また、台湾で、デジタル担当の閣僚オードリー・タン氏が、個人番号とひもづいたマスク在庫管理システムを活用して、買い占めを防ぎ、マスク不足と悪質な転売に悩む日本国民を驚かせたのは、記憶に新しいところです。

日本では2016年から個人番号（マイナンバー）制度の本格運用が始まりました。これにより、国民一人ひとりが持つマイナンバーに、たとえば基礎自治体が持つ住民基本台帳情報（氏名や住所などの国民の基本情報）や、国が持つ国民の所得の情報など、さまざまな行政機関が持つ情報が個別にひもづけられるようにはなりました。しかしながら、こういった個々の行政機関が持つ情報を、マイナンバーをキーとして、互いに参照することは、法令により厳しく制限されています。

また、国の給付事業に必要な情報として、全世帯の銀行口座の番号など、そもそも行政機関が把握していない情報もありました。そのため、日本ではマイナンバーを利用して必要な情報を集約することができず、結局は、各市町村が住民基本台帳のデータを全世帯に送付して、そのデータに間違いがないかを確認してもらいつつ、回答された口座情報を基にして、各銀行へ振り込みを依頼するという、アナログな人海戦術に頼ることになってしまったのです。

さらに、口座番号の書き損じで入金ができなかったり、正しい口座番号確認のために電話をしても出てもらえなかったりするなど、給付金振り込みの作業は困難を極め、膨大な事務量を前にして火事場のような忙しさとなりました。

国が国民を管理することへの抵抗感は、戦争につながりかねないものを排除する思想が根底に

なぜ日本は、国によるデータの一元管理をしていなかったのでしょうか?

実は、単に「していなかった」のではなく、意図的に「してこなかった」のです。この原因を突き詰めて考えると、太平洋戦争の敗戦直後に行われた「戦争をしない国づくり」に行き当たります。

ご承知のとおり、日本はかつて、太平洋戦争で壊滅的な打撃をこうむりました。200万人を超える軍人・軍属が命を落とし、100万人近くの民間人も犠牲となりました。日本の主だった都市は空襲で焼け野原となり、多くの人が住む家を失い、冬には飢えと寒さに震えました。傷ついた同胞と焦土となったこの国の惨状を見て、「二度と戦争は起こすまい」と人々が固く心に誓ったのは、至極当然のことだったのでしょう。

戦後、占領政策を実施したGHQの指導のもと、日本の「戦争をしない国づくり」が徹底的に進められました。軍や財閥が解体されるとともに、戦争の指導者は逮捕、処罰され、多くの戦争協力者が公職から追放されました。民主的で平和的な国の形を目指して、教育改革などが断行され、新しい憲法のもと、「戦争をしない国づくり」は、日本の新しい国の法制度と国民の心に深く根付いていきました。ここに、「戦争につながりかねないものは徹底的に排除する」という日本人の新しい価値観が生まれたのです。

「戦争をしない」というのは、素晴らしい考えです。現実には、国際政治におけるさまざまな力学が絡み合ったことが大きな要因とはいえ、結果を見れば、あれからこの国では70

年以上にわたって、戦争は起こっていませんし、国民は平穏な日々の生活を享受しています。

みなさんの身のまわりにも、戦争の犠牲となられた方がいらっしゃると思いますが、私の親族にも、長崎の原子爆弾で被爆した人がいます。私はこの「平和な国、日本」が永遠に続くことを願っていますし、戦争の惨禍が二度と人々に塗炭の苦しみを与えることがないよう心から祈っています。

ただ、新型コロナウイルスに対する各国の迅速で効果的な対応を見るにつけ、「戦争につながりかねないものは徹底的に排除する」という私たちの発想や国の制度が、ある意味、国民に襲いかかるあらゆる危機に対してもすべからく無思考にさせていた面もあったのかもしれないと思っています。

そしてそれが、日本におけるマイナンバー制度実現を遅らせた一因になったのではないかとも思います。

日本では、個人識別番号制度がなかなか実現せず、過去にもさまざまな問題が発生していました。

代表的なものは、「消えた年金問題」です。これは、国民年金、厚生年金、共済年金など、加入する制度ごとにバラバラに管理されていた年金情報を、基礎年金番号という共通の番号に統合する際、個人を明確に識別することができず、持ち主不明の年金記録が発生してしまったというものです。

こうした失敗を経て、ようやくマイナンバー制度ができましたが、「国による国民情報管理」に対し否定的な人たちからは、プライバシー保護への懸念と並び、今も「マイナンバーによる管理は、国が国民全体を管理することを意味し、将来の徴兵制や戦争に反対する不穏分子を摘発する道具にもなりかねないから危険だ」という意見が飛び出します。マイナンバーによる国民のデータ管理が遅々として進まないのも、「戦争につながりかねないものは徹底的に排除する」という戦後の日本人の価値観が根底にあるためだと考えると合点がいきます。

戦争という不幸を二度と繰り返さない仕組みをしっかり構築することは、もちろんとても大切なことですが、過去をひも解くと、国民への給付金の支給や時短要請の際の協力金支給など、有事の際のセーフティーネットが迅速に機能しなかったのも、結局同じ戦後日本の価値観に行き着くのです。

「ゼロリスク神話」の呪縛から解き放たれよ

日本のデータ連携や危機対応のスピードを上げるうえで、もう一つ大きな妨げとなっているのが、「ゼロリスク神話」です。

特に、過去に制定された法律や規制が想定していなかった新しいサービスやテクノロジーが社会に実装されようとする際、日本の場合は、ゼロリスクを求めるマインドが阻害要因となって、実現スピードが極端に遅くなるケースが多々あります。

たとえば、ここ数年でドローンや自動運転車などの実証実験に関するニュースを耳にすることが増えました。

こうした実証実験は、公道や市街地への実装が可能であるかどうかをテストする目的で行われます。福岡市でも、場所の提供や地域との調整など、実証実験への支援を積極的に行っていますが、仮に実験が成功したとしても社会実装に至るまでは時間がかかります。

それはなぜか？

少しおおげさな言い方をすると、日本では99％安全性に問題がないというサービスでも、1％の不安要素があれば、それに反対する声が起こり、メディアがそれを増幅し、行政側も慎重になり、実証実験すらなかなか行えないのです。

しかし、よく考えてみると、ずいぶんおかしな話です。

交通事故で、年間3000人近い死者が出ているにもかかわらず、「自動車をなくしてしまえ」という声は聞かれません。

「既存のもののリスクは多少大きくても許容できるのに、新しく導入するものに関しては、途端にゼロリスクを求めてしまう」という大きな矛盾が、日本社会にはあるのです。

一度社会に実装され、リスクを超える利便性があるとわかれば、そのサービスやテクノロジーは次第に社会に定着していきますが、導入の段階においては、1％の不安を消し去るために、企業側は途方もないコストと労力を支払わねばなりません。

さらに、新たなサービスが既存の事業者の利益を毀損するものであれば、既得権サイドも新たなサービスの新規参入を何としても阻みたいため、リスクを過度に煽《あお》ることがあります。

「適者生存」の発想こそ、今、日本に求められている

こうした、日本が抱える構造的な問題は、そのまま「社会の変わらなさ」につながっています。

日本国憲法が制定されてから75年もの歳月が流れ、その間に、さまざまなイノベーションが起こり、社会のあり方も、諸外国との関係も大きく変わりました。

社会の至るところで、憲法や、憲法に基づいて作られた法律と現実とのギャップが生じていますが、政治や社会のシステムが「物事をすぐに決められない」「物事をすぐに変えられない」仕組みになっているため、法体系と現実のギャップはなかなか埋まりません。

　また、ゼロリスク神話が根強いと、当然のことながら、物事を決める際のチェック機能は過度に厳しくなります。

「絶対に問題がない」「絶対に安全である」という保証や確信がないと、厳しいチェックをパスすることができず、万が一何か問題が起こった場合には、チェックを行った者が責任を追及されます。

　そうなると、人はどうしても「新しいこと」にチャレンジするのを恐れ、「前例のあること」しかやりたがらなくなります。


　特にその傾向が強いのが、行政かもしれません。

　私が福岡市長に就任して感じたこと、実行してきたことについては、第二章以降で詳しくお話ししますが、特に市長に就任した最初の頃、「市や市民のためにいいと思ったことは、前例がないことでもどんどんやっていきたい」という私を悩ませたのが、「前例のないことへのチャレンジは、リスクでしかない」という役所の空気でした。

　物事をすぐに変えられないシステムと、ゼロリスクを求める空気。

それが、日本の変化・進化を大きく妨げています。

しかし、世界はどんどん変わり、新たな技術は想像を超えるスピードでアップデートされますし、いつまた、コロナショックのような非常事態が起こるかわかりません。

また、少子高齢化の進行により、今までの社会システムも通用しなくなってきています。

「適者生存」とは、生物社会の生存闘争において、単に強いものが生き残るのではなく、その時々の気候や食べ物など、取り巻く生活環境に最も適応したものが勝利者になり、子孫を残せるということです。国においても同じように、変化の激しいテクノロジー、ビジネス環境、人々の価値観にうまく適応できた国家が時代の勝者として大きく飛躍するのでしょう。

変化の激しい時代にあって、それらに速やかに対応すべく、法律や規制をアップデートしやすい仕組みに変えていくことが、今、根本的に求められているのです。

日本のビジネスシーンにも、成長の加速が求められている

スタートアップが陥りがちな発想とは

なお、私は、政治や社会のシステムだけでなく、ビジネスシーンにおいても、成長の加速が必要と感じています。

私は福岡市長に就任して以来、スタートアップを支援するためのさまざまな取り組みを行ってきました。

そのため、「新たに会社を立ち上げたい」という人たちと会うことも多く、「自分たちの製品やサービス、技術、システム、ビジネスモデルなどを、ぜひ福岡市に採用してほしい、もしくは福岡市で展開させてほしい」といったお話をされることも少なくありません。

そんな彼らの話の中で、しばしば耳にするのが、「自分たちの製品・サービスを使えば、必ず社会を変えることができる。世の中を良くすることができる。それなのに、なぜ行政はこれを採用しないのか」「こんなに素晴らしい製品・サービスを使わないのは、国や社会にとって大きな損失だ」「この製品・サービスの良さがわからないなんて、見る目がない」といった言葉です。

また、「社会を変えたい」「社会を良くしたい」という人たちは、よく「日本の行政は、物事の決断や対応が遅い」「民間に比べて、なぜ行政は効率が悪く無駄が多いのか」「日本の政治家や公務員には、もっとビジネスを勉強してほしい」といった言葉を口にします。

でも、こうした考えにとらわれている限り、その思いは政治家や行政に届きませんし、彼らの行動も、社会の変革にはつながらないでしょう。

思いを形にするには、政治や行政の世界は、ビジネスの世界とは異なるルール、力学に基づいて、物事が決まっていることを理解する必要があるのです。

経済合理性を前提にした議論は、政治や行政の世界には通用しない

「非合理的なものは自然に淘汰され、合理的な方に収斂《しゅうれん》していく」
「良い製品・サービスであれば、喜んで受け入れられる」

これは、ビジネスの世界では当たり前とされていることではないでしょうか。

多少の例外はあるかもしれませんが、ビジネスの世界では、基本的には効率の良さやスピード感が重視され、非効率なもの、無駄なものが淘汰されていくのは必然です。
ＩＴ化やグローバル化が進み、国内だけでなく、世界中の企業との競争が激化する昨今、その傾向はますます強まっているはずです。

製品・サービスの売れ行きは、もちろん発売のタイミングやプロモーションの仕方など

によっても大きく左右されますが、基本的にはどの企業も、「できるだけ低コストで質のいいもの、人々のニーズに応えられるものを作ろう」「多くの人に喜ばれれば、ヒット商品になるかもしれない」と考えているのではないかと思います。

しかし、どんなに優れた新しい製品・サービスを作っても、それを社会に実装させるかどうかを決めるのは、政治や行政です。

日本は法治国家であり、個人の生活や企業の活動などを含めた社会全体が、法律や条例などによって規定、規制されているのです。

たとえば、便利で画期的な乗り物を開発したとしても、道路交通法や道路運送車両法などにより、公道での走行が許されなければ、展示会場や私有地でしか使うことができず、社会に広まることはありません。

電波を使用する製品なら電波法に、食品なら食品衛生法に、医薬品なら薬機法に抵触すれば、どんなに優れたものでも、販売することはできません。それでも、どうしても製品を販売したければ、法律に合わせて製品の仕様を変えるか、規制の緩和を求めるしかないのです。

規制は国民の安全と安心を担保するために大切な基準である一方で、「その業界・分野に、新たな企業や団体、技術が入ってくるのを防ぎ、既存の企業や団体の権利（既得権）や立場、技術を守る」という役割も果たしています。

規制を厳しくしたり、緩めたりするのは政治や行政の役割ですが、政治・行政の世界は、「非合理的なものは自然に淘汰され、合理的な方に収斂《しゅうれん》していく」「良い製品・サービスであれば、喜んで受け入れられる」といった、経済合理性で動いているわけではありません。

もしかすると、「社会を変えたい」と思っているあなたの行動が成果につながらないのは、スライドドアなのに、押したり引いたりしているせいかもしれません。

では、どのような動きをすればあなたの思いは実現するのでしょうか？

大切なのは、政治・行政の世界での、物事が決まっていく力学を理解することです。

私はよく「支点・力点・作用点を見極めるべき」と言うのですが、目的（作用点）を最小限のパワーで動かすために、アプローチすべきポイント（力点）を見定め、力を加えなければ、いくら自分で頑張ったつもりになっていても、社会は変わらないのです。

ビジネスの世界でも、相手の立場に立って提案したり、一緒に考えたりすることは大事ですが、これは政治の世界でも同じです。しかしビジネスで相手の立場に立つことができる人であっても、政治家や行政職員に提案するときに同じように相手の立場になって考えられる人は多くありません。それは政治・行政の仕組みと力学を知らないからだと思います。

ビジネスパーソンには政治的な知見が足りない

政治家や行政職員は、「経済やビジネスをもっと勉強してほしい」と言われることが少なくありません。たしかに、そのとおりです。政治家の中には、経済やビジネスに疎い人もいますし、そういう人が政治を担っていたら、「この国、地域は大丈夫だろうか」と不安になるでしょう。

また、「商売をするときは、政治と宗教と野球の話をするな」というフレーズがありますが、「政治の話をするともめやすい」「政治の話をすると嫌がられる」と思っている人、「政治との関わり」を口にすることを良しとしない人は少なくありません。

そのせいか、「私（わが社）は政治とは距離をとっています」と表明するビジネスパーソンや企業を、よく見かけます。

しかし、私は逆に、「ビジネスパーソンは、もっと現実の政治力学を知り、もっと政治と関わっていくべきだ」と思っています。

「政治力学について知るべきだ」といっても、何も、大臣や政党の名前、「三権分立」など、教科書に書いてあるようなことを学んでほしいわけではありません。

社会のルールや物事がどうやって決まっているのか、その仕組みと力学を知っていただきたいのです。制度の文言ではなく、制度の裏にどういう利害関係者がいるのかを知ることが大切なのです。

ビジネスの世界に生きる人たちは、「いいものを作れば売れる」「いいサービスを作れば利用される」という経済合理性に染まってしまい、規制に阻まれて、せっかくの製品やサービスを展開することができないと、「この製品・サービスの良さを理解できない人たちはおかしい」といった不満を抱きがちです。

しかし、繰り返しになりますが、「新しい製品やサービスを、社会に受け入れられるようにするかどうか」を決めるのは政治や行政です。いくら「質の高いもの」「便利なもの」「人々の役に立つもの」だからといって、それが手放しで喜ばれ受け入れられるとは限らない――もっと言えば、便利で役に立つものだからこそ、かえって拒絶されることもあり得るのが、政治の世界なのです。

せっかくの新しいビジネスアイデアを「ビジネスプランコンテスト用のプレゼン」で終わらせず、社会に実装させるためには、学校では決して教えてもらえない政治の世界の力学や政治家・官僚の行動原理を理解し、法律や規制を変えていく、戦略的なアプローチを取る必要があるのです。

地方からの変革こそ、日本を最速で変える切り札

国政選挙には出馬せずに「市長」にこだわり続けるわけ

これまで見てきたように、さまざまな理由によって変化や進化が妨げられている日本ですが、私は、そんな日本を変える鍵は、地方にあると信じています。

「次の選挙ではいよいよ出馬ですか？」

衆議院議員選挙、参議院議員選挙、福岡県知事選挙……。

選挙の足音が近づくと、それが何を選ぶ選挙なのかにかかわらず、毎回必ず聞かれるのがこの質問です。10年前の市長就任以来ずっとです。

おそらく多くの方にとって、国会議員も市長も知事も、選挙に出る人は「政治家」という同じジャンルの職業で、大した違いはないという認識なのでしょう。だから、何かしらの選挙があると、とりあえず「次は出るのですか?」という質問になってしまう。

普段、政治や行政と接点の少ない方にとって、それは仕方ないことかもしれません。しかし、政治の世界に身を置く私からすると、同じ政治家でも、国会議員と首長の仕事は、全く異なるものなのです。

国会議員の主戦場である国会は立法府です。つまり国会議員は、法律を作り、国の骨格を決める役割を担います。

一方、首長は市役所、県庁といった行政機関のトップです。大きな組織を動かし、街づくりを進め、住民への行政サービスを提供するのがミッションです。

国会という立法府での法律づくりには、専門的な知見だけでなく、スムーズに法案を通すための根回しのように、政党政治ならではの独特の動き方など、長年の慣習や人間関係を踏まえた独自のノウハウが求められます。

また、当選回数がものを言う世界であることは、読者のみなさんもお察しのことかと思います。

もちろん、日本は法治国家であり、その根幹を成す立法業務はとても大切な仕事です。しかし、私はそれよりも、現場から、具体的に市民サービスを向上し、街を魅力的にしていく仕事、さらには、国に対して現場のリアルな声を届け、改善を要望していく仕事の方が、やりがいを感じることができるのです。

そして、私は決して福岡市だけ良くなればいいと思っているわけではありません。地方からのチャレンジこそが、日本を最速で変える方法だと信じているのです。

福岡市長であり、日本市長であるという自負

あるとき、私は麻生太郎副総理から、「おめえ、いつ国にくるんだ」と、あのべらんめえ口調で問われました。つまり「いつになったら国会議員の選挙に出るのか?」という質

問です。

それに対し、私は「国を良くするのは国会議員だけの仕事ではありません。新しいビジネスモデルやテクノロジーが生まれていますが、日本では新しいものへの理解が進まず、社会実装が遅れていますよね。むしろ福岡が全国のロールモデルを作って全国に広げる方が日本を最速で変えられると信じています。おこがましいですが、私は、福岡市長ですが、日本市長を自負して頑張っています」と答えました。

日本は、多様な地方の集まりの総体であり、地域によって個性が全く異なります。特に昨今、これまでなかった新しいビジネスモデルやテクノロジー、サービスが次々に生まれようとしていますが、ゼロリスクを求める日本で、こうした新しいチャレンジが全国一律で受け入れられるには、非常に高いハードルがあり、それが日本の大きな弱点だと考えています。

このハードルを最速で突破する方法が、新しいチャレンジを、まずは特定のエリア限定でどんどん行い、成功事例をいち早く可視化していくことです。成功事例があれば、ほかの多くの自治体が一歩踏み出すうえでの大きな後押しとなり、その結果、国全体が良い方向へとスピーディーに変わっていくことにつながるというのが、私の持論です。

私の答えを聞き、麻生副総理はニヤリと笑い、白い歯を見せながら言いました。

「おめえ、その言葉忘れんなよ」

もちろん忘れるはずがありません。

そのとき言った言葉は、紛れもない私の本心だからです。

「基礎自治体優先の原則」と正反対のお金の流れ

麻生副総理に大見得を切ったとおり、地方都市を良くすること、地域限定のロールモデルを全国に広げていくことが、最速でこの国を変えることになると私は信じ、実践しています。

少しマニアックな話ですが、日本の地方自治には「基礎自治体優先の原則」というものがあります。基礎自治体とは、市町村のことです。

市町村が市民へのサービスの主体であり、基礎自治体に任せられるものは基礎自治体に任せ、基礎自治体では処理できない問題を、都道府県という広域自治体がフォローし、そこでも処理できない問題を、国がフォローする。

それが、本来あるべき地方自治の姿であり、市民に最も近く、市民の声を反映させやすい基礎自治体こそが、地方自治でも政治においてもキープレイヤーなのです。

しかし、世間のイメージは逆です。

おそらく多くの人は、「国が一番偉くて、次が都道府県、市町村はピラミッドの末端である」と思っているのではないでしょうか？

なぜそのように見えてしまうかというと、「お金の流れ」が、そうした、地方自治の「本来あるべき姿」とは逆になっているからです。

みなさんは、「地方交付税」という言葉を聞いたことがありますか？

地方自治体はそれぞれ、自分たちの地域の住民や法人から税金を集め（地方税）、それを活動の資金に充てています。しかし、日本には、人が多く住む地域とそうでない地域、企業の多い地域と少ない地域があり、集まる税金の額にはどうしても差が生じてしまいます。

そこで、自治体間の財政格差を補うため、所得税、法人税、酒税、消費税など、国が集めた税金(国税)の一部が、地方交付税として、財源が少ない地方自治体に再配分されるのですが、このお金の流れが、国から都道府県を通じて市町村にという方向になっています。

もちろん、「あそこの地方自治体の首長は、マスコミを通して国のやることの否定ばかりするから、見せしめで交付税を減らそう」「市が頭を下げてくるまで、理屈をつけて県の決定を遅らせよう」などといったことはきっとしないと思いますが、そこに「お金を渡す側」と「お金を受け取る側」という立場の差が生じ、なかなか「基礎自治体優先の原則」どおりに物事が動きにくいのです。

地方自治を萎縮させる構造的な強者と弱者。県や市は国に「逆らいづらい」？

それだけではありません。

国が作る法律や規制、さらには省庁による通知も、地方自治体にとって、ときには大きな壁となります。そうした国の決まりが、地方自治体が新しいことにチャレンジする際の足かせになる場合は、国に対し「規制を緩和してほしい」とお願いしなければなりません し、国がいい制度を作ったときには、「うちの自治体でも使えるようにしてください」とお願いしなければなりません。地方自治体が、国に「逆らいづらい」状態が、構造的に生み出されてしまっているのです。

もちろん、何らかの施策を実行する際の権限は、国と地方自治体との間で細かく決められており、国は国で、地方自治体の協力が得られなければ困る場面も多々あるのは事実です。

しかし、地方自治体が国に対し、規制緩和や財政支援、新たなチャレンジへの許可などを求めたときに、国がもっともらしい理由をつけて結論を出すのを先延ばしにし、地方自治体の動きを封じることは、しようと思えば十分に可能なのです。

基礎自治体のアップデートが国を最速で変える

そのような中で、私がなぜ「基礎自治体を変えることが、国を最速で変えることにつながる」と主張するかというと、地方自治体が持つ最大の強みである「現場」を武器として使えば、地方から国全体を変えるようなイノベーションを起こすことも可能だからです。基礎自治体の業務は国民生活に直結しているため、基礎自治体の施策は国民にダイレクトに影響を与えます。

ただし、基礎自治体が新しいチャレンジを行うことは、現在の制度との整合性、国や都道府県との調整といった膨大な作業や、既得権者との戦い、議会との対立といったリスクを伴うため、二の足を踏む首長が多いことも事実です。

政令指定都市は、基礎自治体としての現場と都道府県並みの権限を持つことから、新しいチャレンジに取り組みやすい制度的背景を持っています。

特に福岡市は、国家戦略特区で、国の規制緩和も提案可能であり、全国に先駆け、ロールモデルを示すことができると、私は考えています。

人口規模が小さくて新しいチャレンジを一から始める人員や予算に乏しい自治体でも、先行自治体の成功事例をうまく取り入れることで、新たな行政サービスや規制緩和を導入することが容易になり、取り組みが一気に日本全国に広がっていくはずです。

第二章

データ連携、ＤＸが日本の全国民を救う

日本復活の糸口

歴史的な革新期が訪れた

「個人情報は怖い」ままでいいのか。今こそ、データ管理・データ連携のあり方を見直す

第一章では、日本の変化や有事への対応が遅い理由について、「物事が簡単に決められない、日本の政治や社会のシステム」「個人情報を把握・利用できない、国のあり方」「人々を縛っているゼロリスク神話」「さまざまな問題を解決し得る新しいサービスやテクノロジーの社会への実装を阻む、既得権者の存在」といった観点からお話ししてきました。

第二章では、このうち、特に「国による個人情報の把握・利用」について詳しくお伝えしたいと思います。

私は、日本がまず取り組むべきは「データ連携」だと思っています。すでにさまざまな企業がＤＸに乗り出し、単なるデジタル化にとどまらない仕組みを作ろうとしていますが、残念ながら、行政はその動きに全く追いつけていません。

日本において、コロナ禍に伴う特別定額給付金の支給が遅れた理由についてはすでにお話ししたとおりですが、日本の政府は氏名や住所といった国民の基本データとなる住民基本台帳情報（以下、住基情報）を持っていません。都道府県も同様です。繰り返しになりますが、住基情報を持っているのは、市町村などの基礎自治体（市町村）です。

住民基本台帳法や戸籍法により、氏名、生年月日、性別、住所、世帯主との続柄といった個人や世帯の基本となる情報は、基礎自治体の長が管理することと定められています。国や都道府県であっても、法律で定められた場合以外は、その情報を閲覧することができないなど、情報の利用も法令によって厳格に定められています。こうした仕組みとなった背景に、国による個人情報の利用に対する国民の漠然とした不安と、その不安を煽《あお》るメディアなどの影響があったのではないかと思います。

しかし一方で、ネットショッピング事業を行うＡｍａｚｏｎ、楽天、ヤフーなどの民間企業には、これらの基本情報に加えて、クレジットカード情報や個人の趣味なども、特に気にすることもなく提供しているというのが、多くの国民の現実ではないでしょうか。

私は「国が国民の情報を一元的に管理できない、現在のシステム」と「国に個人情報を管理されることに対する、国民の漠然とした不安感や警戒心」こそが、日本の「さまざまな遅れ」を生み出した原因の一つだと思っています。

特別定額給付金の支給に際しても、そもそも各世帯の銀行口座情報などを行政機関が持っていなかったこと、さらには、マイナンバーをキーにして、基礎自治体にある個人情報（住基情報）を特別定額給付金の支給に活用できるという法体系になっていなかったことなどから、世帯ごとの情報を確認するというアナログな作業が発生してしまうこととなり、クレーム対応も含めて、市町村がすべてを担わざるを得なかったのです。

しかし、もしアメリカのように、国が国民の情報を管理できていれば、こうした問題もクリアできるうえ、本当に困っている人だけに、重点的に迅速に傾斜を付けた給付を行うことも可能となります。

そうすれば、限られた税金や人員という資源をもっと有効に使うことができ、世帯主の口座や所得の確認などに費やす時間やコストを大幅に削減できたはずです。

日本においても、マイナンバーにより、国が個人情報と所得に関する情報、そして国民一人につき一つの口座情報を一元管理することでさまざまなメリットが考えられます。特に一人でも多くの「困っている人」に、プッシュ型で国のセーフティーネットが届きやすくなります。

国家による必要以上の監視を明確に規制し、一方でデータ連携によって、行政は限られた税収入や人員を有効活用し、困っている人により手厚い支援を行うことができると思うのです。

特別定額給付金によって問題点が浮き彫りになった今こそ、日本のデータ管理・データ連携のあり方を見直すいい機会なのではないかと、私は思います。

行政ＤＸがもたらす圧倒的な利便性

福岡市が国に先駆けてハンコレスを実現した理由

２０２０年にアドビ社が行った調査により、「コロナ禍の影響で業務がテレワーク化したにもかかわらず、紙書類や押印のため、やむなく出社している人が6割にのぼる」ということがわかり、大きな話題となりました。それを受けて「ハンコ文化」を見直し、ハンコレスを推進したり、電子契約を導入したりする企業も増えているようです。

そんな中、２０２０年9月末、福岡市では、役所に提出する約３８００の書類への押印を廃止し、国に先駆けて、ハンコレスを実現しました。

福岡市では数年前からハンコレスと行政手続きのオンライン化の取り組みを進めていた

のですが、それは、市民のみなさんができるだけ役所の窓口に並ばなくて済むようにすることはもとより、高齢の方の増加に備えて、職員を福祉の相談など、人にしかできない業務にできるだけ充てていくためでした。

行政手続きをできる限り効率化し、職員という限られたリソースを、人のぬくもりが必要な部署に配置していくという発想です。

この、行政手続きのオンライン化を進めようとしたときに、妨げとなったのが物理的なハンコでした。

しかし、よく考えてみてください。ハンコは、本当に本人確認の役割を果たしているでしょうか？

実は、役所に提出される書類の大半は、役所に登録した実印でなく、三文判でも何でも「押していればいい」とされています。ですから、極端な話、他人が役所の売店で売られている三文判を押して書類を提出しても、本人の申請として受理されてしまうのです。

にもかかわらず、市民も職員も、ハンコを押すことが慣例化してしまっており、誰も現状に対する疑問を抱くことがないまま、押印という儀式が続いていました。

なお、国や都道府県でもようやく押印廃止の動きが進んでいますが、婚姻届や出生届、転入届など、国や県の法令で押印（や署名）が義務づけられており、福岡市だけではハンコレス化できないものもあります。

ただし、たとえば、福岡市に引っ越してきた人の転入届は、あらかじめ自宅などでオンラインで住所や名前などの情報を入力。役所の予約を取ったうえで、指定の日時に役所に行って、プリントアウトされた書類に署名するだけで済むようにしています。

国やほかの自治体のハンコレスが進まない限り、完全なハンコ撤廃にはなりませんが、それでも、市民のみなさんの負担は、かなり軽減されたのではないかと思います。

福岡市の成功事例を参考に、内閣府がそのノウハウをマニュアル化し、広く全国の自治体へ提供しています。今後、ほかの自治体にもハンコレスとオンライン申請の波が広がっていくことを期待しています。

改革成功の鍵は、行政組織マネジメント力

ちなみに、ハンコレスへの取り組みを始めた頃は、職員からも、「ハンコをなくして本当に大丈夫なのか」「市民との間でトラブルになるのではないか」「今、そんなに問題が起きてないのに、なぜわざわざなくさなければならないのか」といった声が上がっていました。

正直、公務員にとっては、市民サービスが向上してもしなくても、給料は変わりません。ハンコレスによって市民のみなさんの手間が省けることはわかっていても、ハンコレスにするために、今までの書類や手続きを変えるのは、ただ手間がかかって面倒くさいだけ。そう考えていた職員も、少なからずいるのではないかと思います。

実際、「ハンコレスを実施する」と決めてから、「どの書類にどのようなハンコが真に必要なのか」を整理し、手続き的な課題をクリアするのに、2年近くの月日がかかりました。

それでも、こうしてハンコレスが達成できたのは、市の職員のマインドセットやスピード感が、以前とは大きく変わったからです。

私が市長に就任した頃は、状況はかなり異なりました。

市民サービスの向上や業務の効率化を図るため、あるいは福岡市をもっと魅力的で強い街にするため、職員に新たなことを提案し改革を行おうとしても、できない理由の説明だけを聞くことが多く、民間から首長になった自分ではそれに反論する知識も経験もなく、なかなか思うことを実現できずにいました。

しかし、10年経って、私の方針をサポートしてくれる強力な職員が増えてきたことで状況は大きく変わりました。これまでの仕事の進め方を見て、「この人は前例に関係なく、他都市や国では難しいことでも、やると決めたらやる人だ」と理解してもらえるようになりました。また市政運営におけるさまざまな苦楽を共にする中で、信頼関係も強固になり、新しいチャレンジもスピーディーに進むようになりました。

ただ国政の大臣であれば、なかなかこうはいかないでしょう。各省庁の職員たちには、長年にわたって築き上げてきた省庁のありようや国を支えてきたという官僚としてのプライドがあるはずです。

そこへ、過去に何のつながりもない人が、組閣の際に総理から任命され、大臣として突然やってきても、大胆な改革は極めて困難だと推察します。改革をしようとすれば、これまで築き上げてきた政策や制度を大きく変えさせていくことになるわけです。当該省庁の職員の信頼と協力が絶対に必要になりますが、顔は笑っていても、そう簡単に心からの信頼は得られるものではありません。

また行政組織を動かしていくには指示の仕方など独特なノウハウが必要です。国会議員としては政策通として有能であったとしても、行政組織のマネジメント能力は全く別なのです。また政治の都合で、いつ大臣ではなくなるかもしれませんし、その省庁の長になるために選挙を戦ったわけでもないのですから、職員の目には厳しいものがあるでしょう。国の改革がなかなか進まないのは、そうした制度的、構造的な問題もあるのではないかと思います。

いずれにしても、行政組織で何かを大きく変える際、思いを共にし、それを成功させるために、リスクをとってでも一緒にやってくれる、一緒に戦ってくれる仲間の職員がいるかどうかは、とても重要なことなのです。

ＤＸへの取り組みは、質の高い市民サービスを実現するための手段

ハンコレスの実現は、福岡市の行政手続きのデジタル化、ＤＸへの取り組みの、ほんのスタートにすぎません。

２０２０年11月には福岡市にＤＸ戦略課を設置し、２０２１年1月には、民間などで活躍されている4人の方を「ＤＸデザイナー」として採用し、専門的、技術的な見地からの助言や支援を得る体制を構築しました。同じく1月から、電子契約システムの実証実験をスタートし、ＤＸデザイナーのアドバイスも取り入れた新たな電子申請システムを4月にリリースするなど、ＤＸの取り組みは現在進行形でアップデートされています。

ちなみに、今紹介した「電子契約システムの実証実験」について簡単に説明すると、福岡市は、物品の購入や業務委託などで、年間10万件以上の契約を民間企業と交わしていますが、それらは原則、紙に押印する形で手続きが行われています。

そのため、文書の作成や保存、契約書の郵送などの手間やコストを削減する方法はない

事例 新たな電子申請システムを21年4月から開始

写真提供／グラファー

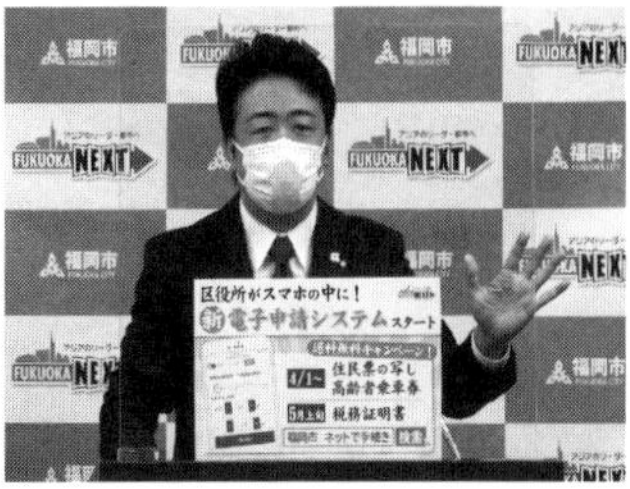

福岡市では住民票の写しや税関係の証明書は、役所に行かなくても、マイナンバーカードとスマートフォンがあれば申請でき、書類が自宅に郵送される。わかりやすいUIやカード決済などにより利便性も追求している

かと常々考えていました。

これまで、電子契約に着手できなかったのは、自治体が電子契約を結ぶには、自治体と契約相手の双方が、本人であることを証明するために、一定の要件を満たす電子証明書が必要であり、それを取得する手続きやコストなどが契約の相手方の負担になると考えられたためです。

しかし、現在、企業間では電子証明書の取得が不要な電子契約サービスが広まりつつあります。今回の実験は、そうした動きを踏まえ、将来の電子契約導入に向けて、複数の民間事業者が提供する電子契約サービスを使うというもので、作成から相手方への送付までクラウド上で完結するため、時間や費用を削減することが可能となります。

また、実験開始直後に、国が地方自治法施行規則を改正し、自治体も企業間で普及している電子契約サービスを利用できるようになりました。

繰り返しますが、私がＤＸを推進しているのは、行政の効率化による市民サービス向上はもちろん、最適な職員配置を行っていく必要があると考えているからです。

若いうちからインターネットに慣れ、パソコンやスマホの操作に抵抗がない方にとって、長時間待たされる窓口での手続きより、オンライン申請の方が利便性が高まりますし、役所の来訪者が減ることは、感染症対策にもつながります。

そして、オンライン化が進むことで、高齢者のようにオンライン申請に難しさを感じる方々に対するサポートなど、オンラインでは対応が難しい部分に人材を配置することが可能になります。

ＤＸは目的ではなく、来るべき高齢社会に向けて、より便利で効率が良く、質の高い市民サービスを実現するための手段なのです。

ウェルモと共同で、AIを活用した介護予防ケアプラン作成支援システムを構築

なお、福岡市では2021年度から、福岡市のスタートアップ企業であるウェルモと共同で、人工知能（AI）を使った要支援者の介護予防ケアプラン作成支援システムの構築を始めました。

加齢に伴い、身体の機能が衰えることで日常生活において色々とサポートが必要になる高齢者が増加します。手厚いサポートが必要となる「要介護」の方を増やさないためには、要介護に至る前の、いわゆる「要支援」の段階でとどめることが重要です。そのため、介護保険を使って介護予防のためのサービスを受けられるようになっています。

ケアプランとは、どういったサービスを、どのくらい受けるのが適切かを定めた「介護サービスの計画書」のことで、利用者はその計画書を基にリハビリや訪問介護などのサービスを一部自己負担で利用できるのです。

「日常的に」ずっと介護が必要な要介護者のケアプランは、民間事業者に所属するケアマネジャー（介護支援専門員）が作成します。一方、日常生活で「部分的に」支援が必要な要支援者のケアプランは、利用者が住む地域にある「地域包括支援センター」のケアマネジャーが担当します。

ケアマネジャーは利用する高齢者一人ひとりがどのような状態で、過去どのような病歴があったのかという情報をベースにして、今後どのようなケアを行えば、できるだけ自立した生活を続けることができるかという計画を構築していきます。そのため、一人分のケアプランを作成するためにはかなりの時間と労力が必要で、今後、高齢者が増えていく中で、ケアマネジャーの負担増や人手不足が懸念されていました。また、これまでのやり方だと、ケアプランの内容が、ケアマネジャー個人の能力や経験、知識に左右されてしまうという問題も抱えていたのです。

しかし、過去の膨大なプランや各種行政データを学習させたＡＩに、ケアプランの作成を手伝わせることで、ケアマネジャーの負担を軽減しつつ、かつ効率的にケアプランを作成することが可能となります。

また個人データの蓄積量が増えることでよりＡＩとサービスの精度が上がります。民間でこのようなサービスを展開するには、地域包括支援センターの情報が必要になるので、民間と行政が協働することが必須になります。

ちなみに、ＡＩを使った、将来の体の状態を予測する介護予防ケアプランの作成支援システムの開発は、全国でも初めての取り組みです。

実現できた理由はいくつかあります。まず、福岡市が、１６０万人の人口を有しており、多様なデータ収集という面において強みがあること。次に、現場を持つ基礎自治体として、ＡＩなど先進的な技術を使った民間ビジネスの社会実証を地域調整などの面で後押しする「実証実験フルサポート事業」を進めていること。そして、すでに、そのフルサポート事業で同社の類似サービスの実証実験を進めていたことです。

この事例でもわかるように、官民が連携したデータ活用のロールモデルとして、一定の人口規模と現場を有する政令指定都市には大きな役割があると考えています。

未来の個人情報の捉え方

来たるべきデータ時代・感染症時代と相性が良いのは一党独裁か？

2018年1月に、スイスのダボスで行われた世界経済フォーラムの総会に出席した際、イスラエルの歴史学者であり、ベストセラー『サピエンス全史　文明の構造と人類の幸福』(河出書房新社)の著者でもあるユヴァル・ノア・ハラリ氏のスピーチを聞いたのですが、そこでハラリ氏が「来たるべきAI×データ時代と相性がいいのは、独裁主義である」と語っていたのが非常に印象的でした。

もちろん彼は独裁主義が支配するような世界に否定的でしたし、私も同じです。日本はこれからも、自由で民主的な国家であってほしいと願っています。しかしながら独裁主義は残念なことに、飛躍のときを迎えていると思わざるを得ません。

これからの企業の強さは、「データの蓄積量で決まる」とよくいわれます。SNSやショッピングを通じての個人情報の収集や自動運転車の長距離走行によるデータの蓄積は、万人に知られているところですが、実は、データで強くなるのは企業だけでなく国家も同じです。

仮に、国民のSNSの書き込みの記録や物品、サービスなどの購入履歴、日々のGPSの位置情報などをうまく組み合わせれば、個人の生活状況だけでなく、その人の嗜好などもわかるでしょうし、通院記録や健康の記録、収入や負債、納税のデータ、返済の滞納や裁判の記録、街中の防犯カメラの映像記録、交通違反や犯罪の記録などと組み合わせることができれば、アップトゥデートに、完全に個人のありようが国家に把握されます。

さらに、分析を担うAIはデータが多ければ多いほど、その分析の精度を上げますので、国民のデータを蓄積した国家においては、ある意味、政策判断における確度が大幅に上がってくるのです。

余談ですが、前出のハラリ氏のスピーチによると、これからは人の体温や心拍数などの生体のデータによって、人をハッキングできるようになると言うのです。生体のデータが十分に蓄積されるとアルゴリズムを作ることができる。つまり生体データとAIを活用すれば、AIは自分が自覚している以上の自分を知ることができ、さらにコントロールすることすらできるかもしれないというのですから、当時このスピーチを聞いて本当に衝撃を受けました。

いずれにしても、「データ」というものが、個人や企業、国家の未来をも形作るほど大きな存在になるのです。そしてこのデータ蓄積を容易に行うことができるのが、個人情報の保護や情報公開などといった民主的統制に縛られず、民間企業が持つ情報をも国家に集約できる「独裁主義国家」なのです。データをもとにさらに国民の支配力を強めた独裁主義国家は、国民の状況を完全に把握していますので、必要に応じて的確なタイミングで的確なポイントに強権力を行使することが可能となっているでしょう。

また感染症対応のように、公衆衛生の観点から個人の私権を制限せざるを得なくなる場合があります。一党独裁の中国では新型コロナウイルスの拡大を防ぐため、有無を言わさぬ都市封鎖を実施し、その後も断続的に各地を封鎖するなどして、いち早く感染の封じ込めと経済の立て直しを行いました。2020年のGDPが前年比2.3%増と、中国が主要国の中で唯一プラスの成長を遂げたことは、「データ時代」「感染症時代」において、いかに一党独裁国家が強いのかを表しています。

イェール大学の成田悠輔助教授が公表している、各国の民主主義指数と、新型コロナウイルスが世界で猛威をふるった2020年のGDP成長率、100万人あたりのコロナ死者数の相関図も、同様の傾向を示唆しています。

国民の権利のあり方など、理想とする価値観や目指す国家像が違うとはいえ、国民のデータの包括的な集約力、それを活用したAIの精度向上といった面においては、残念ながら、民主主義国家である日本には極めて不利な状況と言わざるを得ません。

事例 一党独裁ほどコロナ禍に強いという研究

■死者数は一党独裁主義ほど少ない

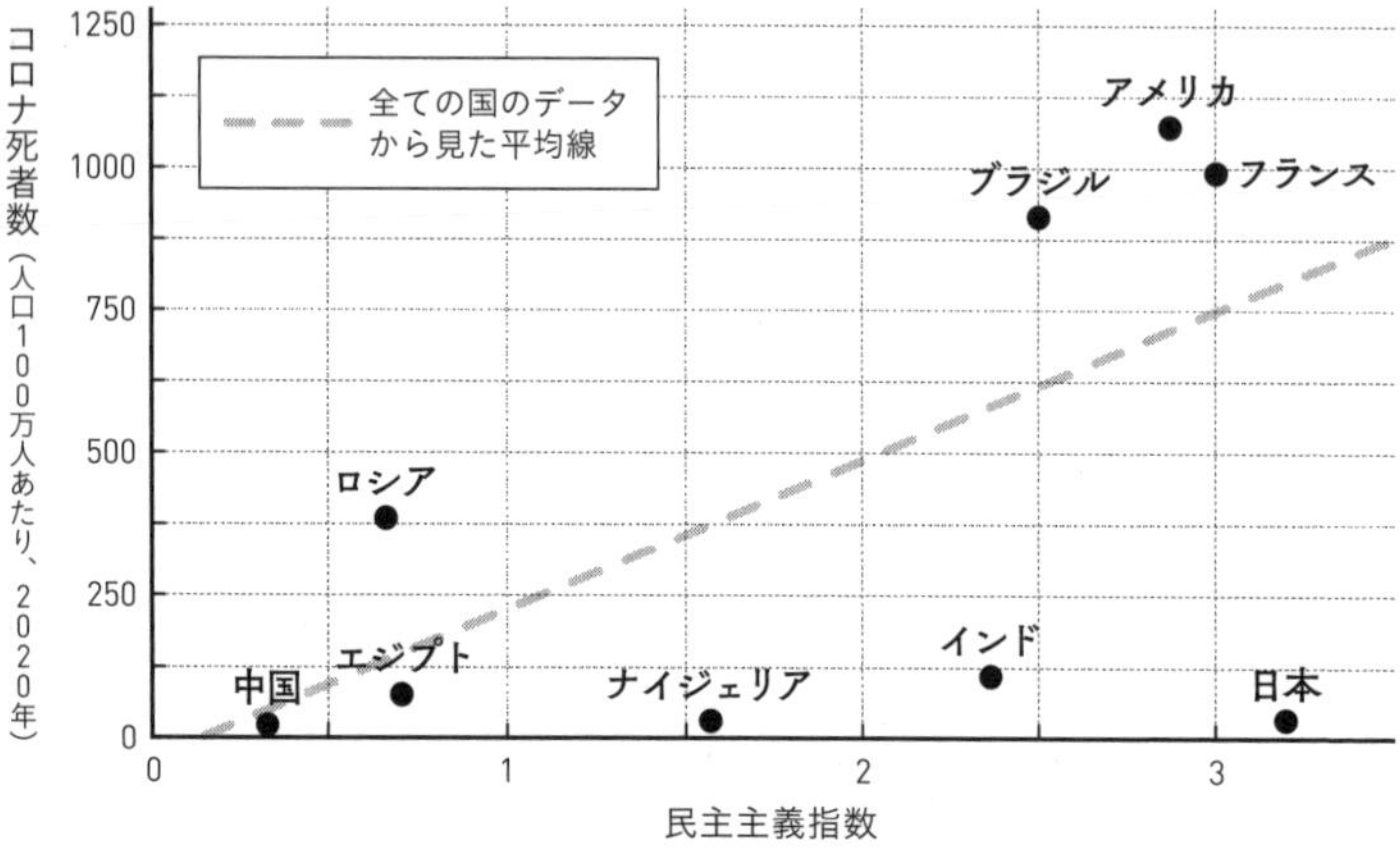

■GDP成長率も民主主義国家ほど低調

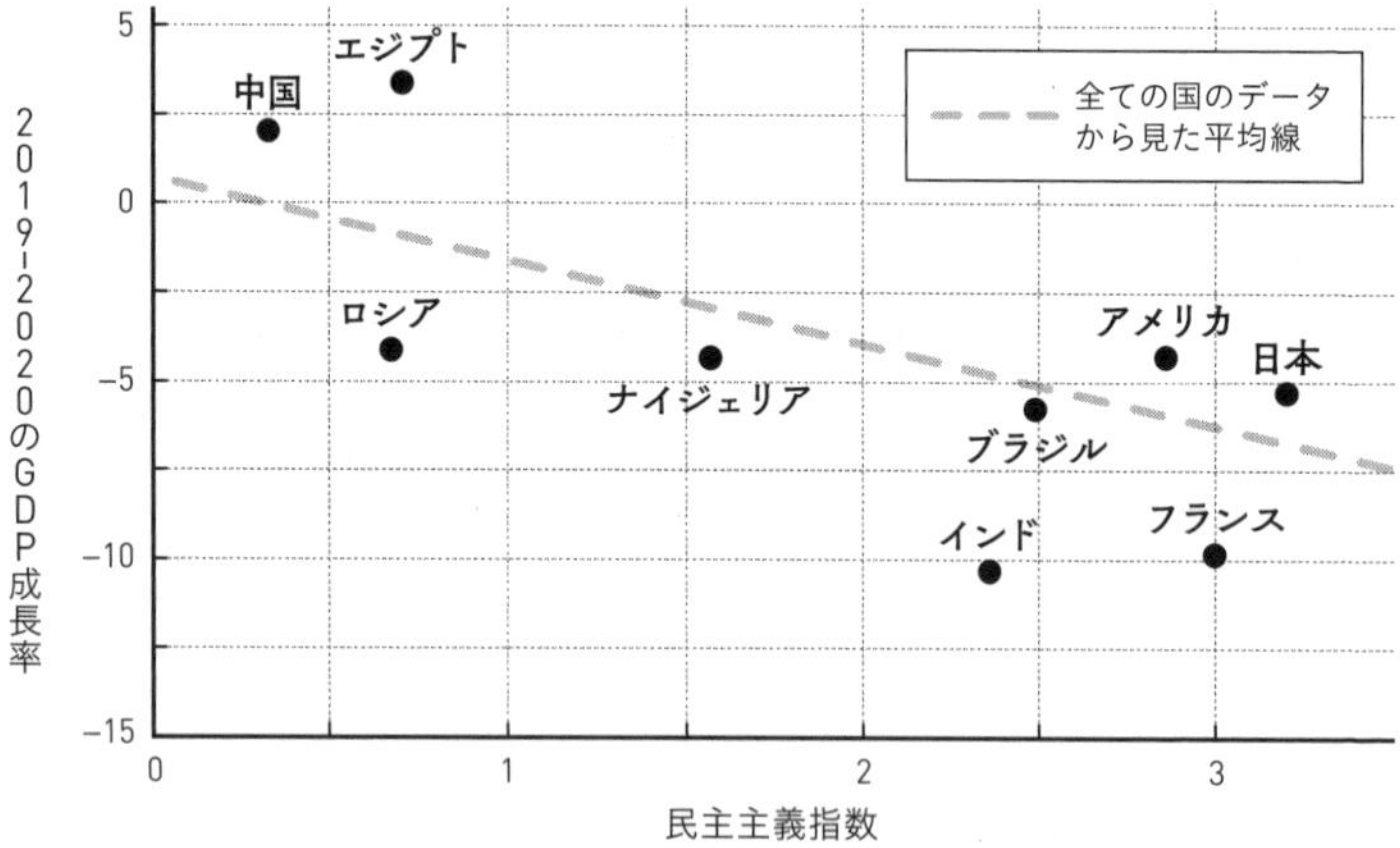

アメリカのシンクタンクであるフリーダム・ハウスが発表した各国の民主主義指数と、2019-2020年のGDP成長率、新型コロナ感染症による死者数の相関関係を示した。民主主義指数とは、専門家が各国の政治的権利に関する項目や、市民的自由に関する項目に点数付けをした合計点によって算出。中国など民主主義指数が低い国ほど、新型コロナからの立ち直りが早かった

注）イェール大学助教授成田悠輔氏・須郷亜佑美氏から提供された資料を基に編集部で作成

少子高齢社会において、個人情報の提供とデータ連携は必要不可欠

日本においては、個人情報を国に預け、管理されることに抵抗感を抱く人は少なくないでしょう。中国のように、すべての情報を国家に管理・監視されるのは息苦しくて嫌だというのは私も同感です。

一方で、データ連携が全くとれず、国が個人の情報を管理、活用できずに、セーフティーネットが機能しないのも、同時に大きな損失です。

今後、日本は少子高齢化がますます進み、2036年には、3人に1人が高齢者になり、社会に大きな影響を与えることが予測されています。労働人口が減少していく中で高齢者が増えれば、行政がサポートしなければならない部分も増えていきます。

税収が減る中で、市民の利便性や市民サービスの質や量を維持するためには、人手が足りなくなった部分をデジタルやロボット、新たなテクノロジーによって補っていく必要が

あります。
そして、テクノロジーを最大限に活用するために必要となるのが、国民からの個人情報の提供とデータ連携なのです。

個人の情報を常に把握していれば、コロナ禍などで経済状況の急激な変化があった場合、所得が大幅に低下した家庭への支援も迅速に行えます。また急激に成績が下がった子どもは家庭環境に変化がある可能性も高いのですが、生徒の日常の行動の変化だけでなく、成績などのデータから変化を読み取って、総合的な支援をプッシュ型で行うこともできるようになるかもしれません。

マイナンバーに医療情報がひもづけられ、医療機関の間で共有されれば、高齢者の健康状態を重層的にチェックし、適切かつ適度な診療や治療を行うことも可能となるでしょう。あるいは、ＡＩによる自動運転バスと医療情報を連携させれば、病院の予約をしている一人暮らしの高齢者のスマホアプリに、通院前日にリマインド通知が届き、併せて自動的にＡＩ運行バスの乗車予約を入れる、といったことも可能となります。

慶應義塾大学医学部の宮田裕章教授も、著書『データ立国論』（PHP研究所）の中で、「最大多数の最大幸福から、最大〝多様〟の最大幸福へ」という発想が、これからのデータ社会における重要なポイントであることを著されています。データやテクノロジーを活用して、行政が、今まさに進めている施策の理念を端的に表現した素晴らしい言葉だと思います。

我々一人ひとりも情報を管理されることに対し、賛成か反対かという両極端で考えるのではなく、国民の利便に適う部分については、個人がデータ提供およびデータ連携を受け入れ、ICTを最大限に活用していくとか、その活用の条件を、今回の特別定額給付金のような有事などにある程度限定して了承するといったことも考えられるでしょう。

それこそが、来たるべき少子高齢社会においても市民サービスを維持向上するためのカギであり、今こそ一人ひとりが、個人情報への考え方をアップデートさせるべきときだと思います。

行政システムの電子化先進国エストニア

海外には、個人情報を上手に活用して行政システムの電子化を進め、行政と国民、双方の利便性を高めている国がいくつかあります。

中でも、特に注目を集めているのが、バルト三国の一つであるエストニアです。

私は、毎年エストニアのスタートアップ企業が集う「Ｌａｔｉｔｕｄｅ59」というイベントに参加しているのですが、２０１９年5月のイベントにはエストニアの大統領であるケルスティ・カリユライド氏もパネリストとして登壇されており、国として新しいテクノロジーの活用を推進していくという強い意志を感じました。

エストニアでは、すでに行政手続きの99%、税関連書類の95%が電子化され、24時間３６５日、いつでも行政サービスを受けることができます。

そして、それを実現可能にしているのが、２００２年から国民一人ひとりに交付されているデジタルＩＤです。

たとえば、エストニアでは、選挙の際、そのＩＤを使って、インターネットを通じた投票を行うことができます。それにより、誰でも選挙権の行使が容易になったと同時に、選挙にかかるコストも削減されたそうです。

また、引越しの際にも、オンラインで住所を変更するだけで、ガス会社や電気会社を含め、主な公的機関に登録している住所を一括で変更でき、またカルテ情報や処方箋も電子化され、各医療機関で共有されているため、医師はオンラインで、患者の情報を確認することができます。

子どもが生まれれば、病院がシステムを通じて出生登録を行い、10分後には政府から新生児のＩＤとお祝いメッセージが届き、自動的に国の育児支援に関する手続きが終わります。

国民データの管理については、データの改ざんが事実上不可能とされるブロックチェーン技術を、なんと10年ほど前から取り入れており、国家に個人情報を預ける国民に安心感を与えています。

なお、エストニアが電子政府へと舵を切ったのは、１９９１年に旧ソビエト連邦から独立した直後でした。

当時、エストニアには資源もお金もなく、経済的に苦境に立たされていました。

面積は九州全土とほぼ同じ大きさで、福岡市の100倍以上あるのですが、その半分近くは森林に覆われ、無人島を含め、2000以上もの島々があります。

そうした環境下で広く行政サービスを行き渡らせるには、IT技術を最大限に活用するしかなかったわけです。

ちなみに、エストニアの電子化推進の基盤となったX-Roadという技術は、軍事研究施設から民間企業になった会社が手掛けているそうです。

一方で、エストニアにおいても、政府が行政サービスの電子化に乗り出した当初は、多くの国民が否定的な反応を見せたそうです。

それでも政府は、粘り強い説明を続け、現在では、「自分のデータが国によって管理され、国の都合で悪用されるのではないか」という不安よりも、「自分で自分のデータをしっかり管理できており、さまざまな行政サービスにスマートにアクセスできる」というメリットを感じている国民が多いそうです。

日本のマイナンバー制度は、エストニアのノウハウをかなり参考にしたといわれていますが、国民に対する総務省のアプローチはもっと工夫ができたのではないかとも思います。

カードの申請手続きだけさせておいて、利用者側のメリットがほぼゼロですから、国民は手間と不安感だけ背負わされる形になり、マイナンバーカードの普及率が低いままというのもやむを得ません。

マイナンバーカード取得により、国民の利便が圧倒的に向上するという具体的なインセンティブを示しつつ、データ管理とデータ連携の効果について、国民に丁寧に説明することで、マイナンバーカードの普及が進んだだけでなく、マイナンバーによる情報管理に関しても、もっと国民の理解を得ることができたはずです。

特別定額給付金の支給の遅れなど、国によるデータの一元管理やデータ連携の遅れによる行政の停滞を多くの方が実感したこのタイミングこそ、国民に理解と共感をしてもらえる絶好のチャンスだと、私は思うのです。

プッシュ型の行政が社会的弱者を救う

申請主義のままでは、セーフティーネットからこぼれ落ちる人がいる

これまで、「日本の行政システムは弱者に冷たい」と言われることが少なくありませんでした。それは、日本の行政が「申請主義」に基づいているからです。

マイナンバー制度が浸透して、国や地方自治体が個人情報を把握できるようになり、かつデータ連携が進むと、「申請主義」から「プッシュ型」の行政へと移行することが可能となります。

「申請主義」とは、利用者から「この制度や手当を利用したい」という申請があって、初めて動き出す行政のあり方であり、「プッシュ型」とは、行政が利用できる制度や手当などを一人ひとりに積極的に案内する、あるいは申請がなくとも対象となる方に自動で手当て支給などのサービスを提供する能動型の行政サービスのことです。

たとえば、子どもが生まれても、児童手当や乳幼児医療費の助成サービスは申請しなければ受けることができません。

また、職を失ったり、離婚したりして、経済的に困窮している人が、失業保険や生活保護などのセーフティーネットがあるのに、そういった支援を受けるのは「恥ずかしいことだ」と考えて、申請をためらうことがあるという話も耳にします。

あるいは、「利用したい制度があるのに、仕事が多忙で、役所に行けない」というケースもあるでしょう。

こういったケースのように、申請主義のもとでは、制度の存在を知らない人、申請することに対し心理的・物理的なハードルがある人は、制度を利用することができず（あるいは意図的に利用せず）、社会のセーフティーネットからこぼれ落ちてしまうことになります。

物理的なハードルに対しては、たとえばオンラインでの申請を可能にするといった施策が有効ですが、行政のセーフティーネット機能を高めるには、申請主義からプッシュ型への転換が必要となります。

プッシュ型行政を目指すためにもデータ連携が必要不可欠

なお、同じ自治体内であっても、ある部署が特定の目的で集めた個人情報を、ほかの部署が使うことは原則できません。個人情報保護の名のもと、同じ組織であっても、データの共有ができないのです。

しかし、個人情報保護の考え方が改められ、マイナンバー制度による個人情報の一元管理やデータ連携が進めば、年金や失業保険などの社会保障の手続きが非常に楽になります。

従来は、たとえば勤め先から源泉徴収票を、税務署や市町村から納税証明書を発行してもらうなどして、たくさんの書類をそろえ、年金事務所やハローワークに提出しなければならなかったのですが、行政機関同士がデータ連携すれば、そうした書類の持参が不要になります。申請者がマイナンバーや身分証明書を提示するだけで、年金事務所やハローワークはあらゆる必要な情報をオンラインで確認できるようになるからです。

ちなみに海外では、申請しなくても、政府から自動的に給付金などが支給されるプッシュ型行政を導入する国も増えています。

確定申告についても、日本では、申告者がすべての書類を用意しなければなりませんが、海外には、政府が一人ひとりの確定申告の書類を用意し、申告者はその書類を確認してサインするだけでいい、という国もあります。

こうしたプッシュ型行政のあり方は、利用者が助かるだけでなく、行政側が申請書を確認する時間やコストが大幅に削減されるメリットもあります。

さらに、データ連携が行われれば、社会保障の給付状況や、ほかの市町村が把握している固定資産の状況などをオンラインで照会できるようになります。社会保障の受給や資産の保有を不正に偽った給付金の申請や受給なども防止することができます。

このように、データの一元管理・データ連携は、利用者にとっても行政にとっても、デメリットよりもメリットの方がはるかに大きいと言えます。

日本で今後、ＤＸが順調に進むかどうかは、私たちが何を大事にし、どのような国でありたいかという意思にかかっていると言えるでしょう。

デジタル庁から日本再興の未来を描く

コロナ禍をきっかけに誕生

これまで、日本政府のデータ把握・利用の遅れと、その弊害についてお話ししてきましたが、そんな日本でも今、ＤＸの動きがようやく活発化しつつあります。

2020年9月、菅義偉内閣が発足し、菅首相はその際に、公約の一つとして「デジタル庁」の創設を掲げました。菅首相は、デジタル庁創設の目的について、関係閣僚会議で「行政の縦割りにより、新型コロナウイルスへの対応において、国、自治体のデジタル化の遅れや人材不足、不十分なシステム連携に伴う行政の非効率、煩雑な手続きや給付の遅れなど住民サービスの劣化、民間や社会におけるデジタル化の遅れなど、デジタル化についてさまざまな課題が明らかになったため」と語っています。

また、デジタル庁の役割については、「国、自治体のシステムの統一・標準化を行うこと、マイナンバーカードの普及促進を一気呵成《かせい》に進め、各種給付の迅速化やスマホによる行政手続きのオンライン化を行うこと、民間や準公共部門のデジタル化を支援するとともに、オンライン診療やデジタル教育などの規制緩和を行うことなど、国民が当たり前に望んでいるサービスを実現し、デジタル化の利便性を実感できる社会を作っていくこと」と述べています。

コロナ禍という未曽有の危機をきっかけに、国がようやく重い腰を上げ、データ管理・データ連携に向けて動き出したのです。

なお、経済産業省が2018年にまとめたレポートには、「今のままDXが進まず、既存のITシステムが老朽化・肥大化して運用や保守に多大なコストを要するようになった場合、2025年以降、毎年最大で12兆円もの経済損失が発生するおそれがある」と書かれています。

さまざまな理由から、行政においても民間においても、DXへの取り組みはもはや待ったなしの状態であると言えるでしょう。

ワクチン管理システムの構築は、日本にとっての大きな挑戦

2021年1月19日、デジタル改革担当の平井卓也大臣は会見の席上で、「新型コロナウイルスのワクチンを接種した国民の情報管理に、マイナンバーを活用すべきである」と

述べ、マイナンバーを活用した新型コロナウイルスのワクチン管理システムの構築が進められることとなりました。
ワクチン管理システムが新たに作られることになったのは、自治体によって予防接種台帳のデータの形式が異なり、国レベルで迅速に情報共有を行うのが難しいためです。「地方自治体がワクチン接種のデータを、政府がアクセスできるクラウドに記録している」という形をとってはいるものの、実質的にはマイナンバーを活用することで、国が管理できるデータの範囲が広がったとも言えます。

国によってデータを管理されることに漠然とした不安感や警戒心を抱いている国民が多く、マイナンバーの利用範囲も含めた利活用に関する議論がなかなか進まないのが現状です。このように国が、マイナンバーを活用したデータの一元化・データ連携を積極的に進め、利便性を示していきつつ、問題があれば修正するというアジャイルなやり方の方が、日本においては実現が早いのかもしれません。

マイナンバー法を改正すべきときがきた

デジタル庁の業務として、「地方共通のデジタル基盤」や「マイナンバーの利活用」が挙げられていますが、この取り組みを加速させるためにいくつかの壁を取り除く必要があると考えています。その壁とは「マイナンバー法」と自治体ごとに存在する「個人情報保護条例」です。

まず、最も必要とされているのが「マイナンバー法」の改正です。現状では、マイナンバーにひもづいているさまざまな情報の利用範囲が限定されているため、これがボトルネックとなり、マイナンバーをマッチングキーとして使えないという問題が生まれているのです。

特に「税」情報がさまざまな用途で柔軟に利用できれば、収入が大きく落ちてしまった人に対する支援を行うなど、経済的な困窮者の補捉とその対応が劇的にスピードアップします。日本においては、税情報は地方税法で目的外利用が禁止されているのですが、これらを連携させることで、コロナのような有事においてもスピード感を持って、ピンポイントで給付などの政策を打つことができます。

また地方行政のデジタル化については、デジタル庁が総務省と連携しながら、地方自治体の情報システムの標準化や共通化を目指すとされていますが、自治体同士のデータ連携を行うためには、個人情報保護条例をすべての自治体で改正しなければならないという大きな壁が立ち塞がります。

自治体はそれぞれの条例で、個人情報を保護する範囲や第三者に提供する際のルールを決めているのですが、実は、それが統一されておらず自治体でバラバラなのです。

このバラバラなルールが、まさに自治体が豊富に持っているさまざまなデータを横断的に使う際の障害になっています。システム的なデジタル基盤を共通化しても個人情報の運用ルールが違えば機能しません。統一した運用ルールにするためには、国内すべての市町村での条例改正が必須です。当然、相当な労力が必要なことは容易に想像できますが、共通のデジタル基盤を実際に運用するためには、避けて通ることはできない過程です。

2021年通常国会で、デジタル庁関連法案として、国と地方、民間の個人情報保護関連規定を一本化する法案が可決成立しました。

これによって、例えば、災害時に被災者情報を速やかに集約したり、新たなパンデミックが発生したときでも患者の医療データを自治体や医療機関の間でスムーズに共有したりすることも期待できます。今後のデータ連携に向けて、大きな一歩だと思います。

メディアの中には、個人情報保護を後退させるものだとの批判的な論調もあります。国には、個人情報保護の観点は確保したうえで、国民の誤解や過剰反応を招かないよう、丁寧に説明し、実効性のあるものにしていただくことを期待しています。

全国に先駆け店舗の賃料補助ができた理由。将来的にはエビデンスベースの施策を目指す

国単位でデータ連携やＤＸが進めば政策決定が素早く、的確になっていきます。国民や市民の実情がデータベース化されていれば有事における経済困窮者への援助といった緊急施策以外でも、介護状態の人に対する補助なども本当に必要なものを、必要な人に届けることが可能になるのです。

新型コロナウイルスの感染が日本で最初のピークを迎えた2020年春に、福岡市ではいち早く休業や営業時間短縮の要請を受けた飲食店などに対する100億円規模の独自支援策を行いました。国の緊急事態宣言発出に合わせて、福岡市では休業要請の対象となる事業者のみなさんから直接オンラインで話を聞いていく中で、国の支援制度では特に家賃のような固定費の負担を軽減するための支援策が足りないという声を多く聞くことができました。

そこで、福岡市では休業や時間短縮営業に協力いただいた事業者に対して、店舗の賃料の8割（上限50万円）を支給する「緊急事態宣言に伴う事業継続に向けた店舗への家賃支援」を全国に先駆け制度化しました。この制度の発表後、千葉市の熊谷市長（現千葉県知事）からもすぐに問い合わせをいただき、千葉市でも工夫を凝らした形での家賃への支援策がスタートしました。また、国における、家賃に対する協力金制度の創設にもつながりました。

ただこれまでは、職員が事業者へ直接ヒアリングした情報を基に、これらの制度の創設につなげていましたが、税情報など、各種情報を基に政策を策定することができれば、売り上げに応じた協力金支給など、より早くより精度の高い施策が可能になります。今まで日本の政策決定は、データを用いた「エビデンス」ベースというより、局所的な事例や体験談を基にした「エピソード」ベースが主流でした。アート（専門家の経験や感覚）からデータへ。より確実なアウトカムを得るためにも、データを利用することで、限られた税金をより効率的に使うことができるようになると思うのです。

地方自治体のデータは国の政策立案を劇的に変える

なお、地方自治体が持つデータを国の政策立案に活用することは、目的に沿ったアウトカムを得るためにも重要です。

これについては、エビデンスに基づく政策立案を提唱している慶應義塾大学総合政策学部の中室牧子教授から、「2019年10月にスタートした幼児教育・保育の無償化」に関する、非常にわかりやすい事例をうかがったので共有します。

保育料は、受けるサービスの内容に応じて金額が決定されるわけではなく、低所得世帯の保育料は低額に、高所得世帯の保育料は高額になるよういくつかの階層に分け、世帯の所得すなわち支払い能力に応じて金額が決定される仕組みになっています。

中室教授の研究では、保育料ごとの利用者数を可視化した兵庫県尼崎市のデータから、2000年以降、保育サービスを利用する世帯の所得階層が大きく変わってきていることを明らかにしました。

たとえば、2000年と2015年のデータで比較すると、保育料の負担がゼロ、もしくは低額の低所得世帯が減り、最高額の保育料を負担する高所得世帯が大きく伸びているということです。ちなみに福岡市のデータでも同様の傾向が示されました。

つまり、保育サービスは、かつての福祉的な要素だけでなく、共働き世帯のサポートという要素も大きくなっていたのです。

関連して、少し古いですが、総務省の「平成24年就業構造基本調査」を基に分析したデータによると、世帯所得が400万円未満の世帯では、子どものいない世帯の割合が過半数に達し、所得が高くなると第2子、第3子を持つ割合が高くなる傾向が見られます。所得が高い層にまで届く子育て支援は、少子化対策として考えればより高い効果が期待できるとも言えます。

以上を踏まえ、国の幼児教育・保育無償化を読み解くと、貧困層のサポートや福祉という視点と、共働きサポートや少子化対策という視点とで、施策の有効性の評価が分かれることが推察されます。

このように、国が政策立案をする際は、目的に対して最も適切な政策を打っていくことが大切で、そのためには地方自治体など現場のデータを活用することが不可欠なのです。

中室教授によると、経済学の世界でも、行政データを活用した研究は非常に重要視されているそうです。特に北欧では、行政データのオープンデータ化が急速に進み、経済学の先端研究が行政データを活用したものに移行しており、一方で、経済学の世界でトップといわれるアメリカは、行政データの活用という点では一歩出遅れているようです。

北欧では、特定の大学の研究者には行政データのアクセス権が認められていますが、アメリカでは行政データの活用が申請ベースになっており、これが大幅な停滞を生み、危機感を感じたアメリカの研究者が行政データの解放を推し進めるなどの動きも出てきているとのことです。

経済学の観点からも、行政データの活用は非常に注目度の高いトピックスとなっているのです。

第三章

感染症×少子高齢時代の福岡式街づくり

国際競争力を持つ尖りの一手

福岡市が示す未来の街の姿

ドローン、オンライン診療…。イノベーションを街に実装しよう

日本は、ほかの国がまだ直面していない課題をたくさん抱える「課題先進国」ですが、一方で、課題先進国はビジネスチャンスの宝庫であるとも言えます。なぜなら、課題があるということは、それを解決したいというニーズがあるということであり、新しいテクノロジーやサービスを使ってこうした課題を解決できれば、そこに新たなビジネスが生まれるからです。

特に私は、「スマート・テクノロジー」と呼ばれる、ＡＩやロボット、ＩｏＴなどを利

用した先進的な技術に期待しています。

2036年には、3人に1人が高齢者になると予測されています。高齢化が生産年齢人口への重い負担となるだけでなく、少子化による労働力不足も懸念されています。

これまでマンパワーで何とかやりくりしていたことも、どんどん手が回らなくなっていきますが、テクノロジーによってその穴を埋めることは十分に可能だと思っています。

そして、福岡市は、新しいサービスやテクノロジーによって、これらの課題を克服した持続可能な街を目指して、政令指定都市であり、かつ国家戦略特区でもあるというメリットを生かし、さまざまな実証実験に取り組んでいます。

中でもみなさんにイメージしていただきやすいのは、「ドローンの活用」と「オンライン診療」だと思いますので、福岡市の取り組みも含め、簡単に紹介したいと思います。

まず、ドローンについてですが、福岡市では、行政の効率化や住民サービスの向上に向け、ドローンの実証実験を繰り返しています。

たとえば、AED（自動体外式除細動器）を運ぶ目視外飛行や、日用品や医薬品を博多湾に浮かぶ能古島（のこのしま）まで届ける取り組みを民間企業と共に行いました。

また、橋梁の点検におけるドローン活用の実証実験も行っています。インフラや建築物の老朽化への対応は、これから大きな課題になりますが、たとえばその点検作業にドローンを活用することで、点検に伴う交通規制が不要になる、業務の効率化や点検時間の短縮、作業員の安全確保につながるなど、さまざまなメリットが生まれます。

さらに、農業分野では、市内にある耕作放棄地の貸し手と借り手とのマッチングを行っていますが、マッチングにあたっては事前に耕作放棄地の調査が必要になります。耕作放棄地が、道路から離れた奥地や高台にある場合には、車両でのアクセスができないなど、調査員に負担を強いることがしばしばありましたが、ドローンを使って空から土地の状況を調べることで、調査員の負担軽減を図ることができるようになりました。


続いて、オンライン診療です。

福岡市では、国家戦略特区であることを活用し、日本で初めてオンライン診療とオンライン服薬指導が一気通貫で行えるようになりました。

それにより、患者さんはオンラインで診察を受け、自宅に居ながら薬の受け取りまで できるようになりました。特に過疎地域では、高齢化率が高いにもかかわらず、近くに医療機関や薬局がない場合も多いので、まさに高齢社会の課題を解決する重要な一手であり、全国で定着させていくことが重要だと考えています。

ほかにも、街を便利にする取り組みはまだまだあります。

介護ロボットが進化すれば、介護士の負担が減ります。

自動運転車が普及すれば、運転士が不足する地域でも、コミュニティーバスを運行させることができ、高齢者や障がいのある人も気軽に外出できるようになります。さらに、副次的な効果として、高齢ドライバーによる交通事故の減少にもつながるでしょう。

先端テクノロジーのリスクをいかに許容するか

福岡市では今、「Ｆｕｋｕｏｋａ Ｓｍａｒｔ Ｅａｓｔ」というプロジェクトを進めています。いわゆる「スマートシティづくり」なのですが、これは、新しいテクノロジーを導入することが目的ではなく、福岡市、あるいは日本が直面している社会課題を、スマート・テクノロジーなどによって解決しながら、持続的に発展し、快適で質の高いライフスタイルと都市空間を作り出すことを目的に行っているものです。

新しいテクノロジーを使って、社会課題を解決するためには、越えなければならないハードルがたくさんあります。

新しい技術に支えられた製品やサービスは、現行の法律や規制ができたときには存在していなかったものばかりです。

せっかくの新しい製品やサービスが、そのままでは法律や規制に抵触し、「安全ではない」と判断されて使えないこともあります。法律や規制に無理矢理合わせようとすれば、製品やサービスのメリットが失われてしまったりといったことも多く、素直に「こういう便利な製品やサービスができたから、さっそく社会に実装しよう」とはなりません。

また、第一章でお話ししたように、日本社会には「ゼロリスク神話」がはびこっており、新しい製品やサービスには特に、ゼロリスクが過剰に求められます。

しかし、私は、従前からあるものであろうと新しいものであろうと、「１００％安全」やゼロリスクはありえないと思っています。

今、当たり前に使われている自動車も家電も、一歩扱い方を間違えれば非常に危険な機械であり、大きな事故につながりかねません。

だからといって、全面的に使用禁止にすれば、私たちの生活は不便極まりないものになり、もはや現代社会は成り立たなくなるでしょう。

「免許を取得し、基本的な運転をマスターした人にしか運転させない」とか「使用上の注意をしっかり明記する」など、事故を減らすための対策をしっかりとったうえで、それでも発生するリスクに関しては、便利さと引き換えに許容していく。

そのように考えるほかなく、「１００％安全でなければダメ」「ゼロリスクでなければダメ」では、何もできないと思うのです。

福岡市東区のスマートイーストがなぜ必要か。大学跡地を丸ごと未来の街に変えていく

新しいテクノロジーに基づいた製品やサービスを社会に実装させていくためには、実際に利用し、その有効性やリスクを正確に把握する必要があります。

安全性や利便性がしっかりと確認できれば、規制緩和に向けての動きも活発化し、全国展開もしやすくなるでしょう。

そのために行っているのが実証実験です。

しかし、仮に実証実験で良い結果が得られたとしても、社会実装に至るまでには、やはりいくつかの大きなハードルがあります。その一つが、既存の街はスマート・テクノロジーを前提に作られていないということです。

たとえば、電動キックボードのような、新しいパーソナルモビリティーを使う場合、「車道の中に設けられた自転車専用レーンもしくは歩道を走らせる」というのが、おそらく現実的な方法になりますが、そのためには、自転車専用レーンや歩道の幅を広げなければならない場合もあるでしょう。

既存の街の中で、新しいパーソナルモビリティーの実用化のために、一気に道路の規格を変えるのは困難です。

また、交通不便地への対策として、地域や議会から「コミュニティーバスを走らせてほしい」など、「市民の足の確保」に関する要望がたびたび上がりますが、採算性や運転士の不足といった問題があります。

そこで、自動運転バスという手段が注目されるのですが、これも、自動運転バスが安全に運行できる道路が整備されていなければ、導入は困難です。

そこで、先端テクノロジーの導入をあらかじめ想定し、ゼロから新しい街を作っていこうとしているのが、福岡市東区の箱崎エリアで進められている「ＦｕｋｕｏｋａＳｍａｒｔＥａｓｔ」というわけなのです。

スマートシティの形成には既存の街を作り変える「ブラウンフィールド」型と、白地から街ごと未来の形に作り上げる「グリーンフィールド」型がありますが、今紹介したとおり、「ＦｕｋｕｏｋａＳｍａｒｔＥａｓｔ」は後者に当たります。

箱崎エリアは、天神や博多駅など、市の中心部にも近く、２０１８年に別の地区への移転が完了した九州大学等の約50ヘクタールにも及ぶ跡地があります。まさに白いキャンバスに絵を描ける場所で、新しいテクノロジーを採り入れたスマートシティを、いち早く実現させようという試みを行っているわけです。

ゼロからスタートする「未来の街づくり」ですから、たとえば電動キックボードが走るのに自転車専用レーンの広さはどれぐらいが適切か、自動運転の車いすが実装された場合に、それが走行する歩道の広さをどれぐらい確保すればよいかなどをあらかじめ考えておくことが可能です。

また、自動運転バスを走らせるために、道路にセンサーの埋め込みが必要になる可能性もあり、その場合は、どんな場所に、どんなセンサーを置くべきか、といったことも検討する必要があります。

高齢者・子どもを見守り、医療・介護など考えるべき分野はたくさんありますが、できる限り最新のテクノロジーを活用した「スマート」を重ねていくことで、世界に先駆けたスマートシティを実現したいと思っています。

子どもに見守り用ビーコンを配付。新技術と地域の助け合いが共存する街へ

なお、私は、これからのスマートシティにおいては、「セキュリティー」「モビリティー」「エネルギー」の3つが、大きな柱になると思っています。

「セキュリティー」とは、街の中のデバイスやカメラを活用して、子どもたちの見守りや、高齢者の徘徊の見守りをできるようにすることです。

全国的に高齢化が進むとともに、コミュニティーが希薄化しています。そのような中で、

事例 児童の経路履歴を記録するビーコン

写真提供／オッタ（画面はアプリ「otta」のもの）

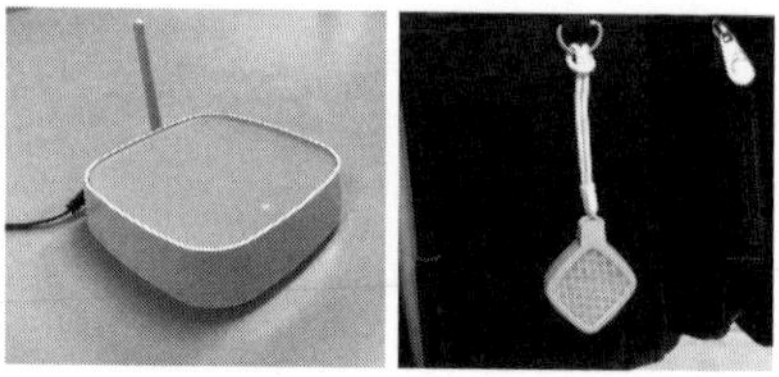

通学路に設置した基地局端末「見守りポイント」に児童が持つBluetoothを搭載したビーコンが近づくことで、移動経路が記録される仕組み。市立小学校の児童ら 約8万4000人を対象としている

子どもたちの通学の安全性をどう保っていくのか、併せて、増えていく高齢者の徘徊をどう見守るかが、優先的に解決していかなければならない社会課題となっています。

福岡市では九州電力グループの九州電力送配電とスタートアップ企業であるottaが協働して、見守りサービス「Qottaby」（キューオッタバイ）を展開しています。これは、Bluetoothの電波を発するデバイスビーコンを持った子どもが、帰宅途中や放課後に公共施設や病院、コンビニなどに設定された見守りスポットに近づくと、ビーコンの電波を受信して精度の高い位置情報をピンポイントで取得・記録するものです。万が一、お子さんの行方がわからなくなった場合に、警察に情報が送られる仕組みになっています。

子どもにスマホやGPSを持たせる必要がないのでコストも低く抑えることができますし、GPSを利用する場合は電池が1カ月も持たないのに対して、ビーコンの場合は1年間電池交換が不要なので、電池切れの不安も軽減されています。

福岡市では、すでにこの端末を市立の全小学生約8万4000人に配付し、子どもたちの見守りに活用しています。基地局は市内に約3000カ所あり、ほかにも市民・事業者がスマートフォンに見守りアプリをインストールすることで、このスマートフォンも基地局と同じ役割を果たします。さらに、有料の付加サービスにはなりますが、保護者が、子どもの位置情報を確認でき、見守りポイントを通過したときに通知を受け取ることも可能なシステムになっています。

このシステムは、高齢者の見守りにも活用できるため、地域での実証実験を進めているところです。

電動キックボードにオンデマンドバス。新しいモビリティーの実装が、社会課題の解決に

スマートシティの2番目の柱である「モビリティー」とは、新たなパーソナルモビリティーや自動運転バス、ドローンなどを活用し、交通手段、輸送手段を充実させることです。

従来型の交通手段である電車や自動車では行き届かない、ラストワンマイルを埋めるようなモビリティーを実装することができれば、人々の移動のコストや手間は一気に低下します。特に、過疎地に住む移動困難者や買い物難民に対しては、行政としてコストを抑えながら移動手段を提供する必要があります。

そこで必要となるのが、テクノロジーを駆使したモビリティーですが、福岡市で実現に近づいているものは3つあります。

そのうちの1つ、電動キックボードは、ラストワンマイルの手軽な移動手段として非常

事例 ヘルメットなしで乗れる電動キックボード

半年にわたる公道での実証実験を経て、ついにヘルメットなしでの公道走行が特例的に認められた。2021年4月から福岡市役所前を皮切りに実証実験を開始。福岡市中央区の全域と南区の一部が対象エリア

に有効です。

今でも電動キックボードは公道を走ることができますが、現在の法律上は原付きバイク（原動機付自転車）に分類されていて、原付の免許が必要ですし、自転車専用通行帯を走ることはできません。

また、ヘルメットの着用、ナンバーやウインカー、ライトなどの装備も必要ですので、気軽に利用できる状況ではありません。

一方で、今多くの人が乗っているスポーツタイプの自転車は、時速20～30キロメートルは優に出ますし、電動アシスト自転車も、時速24キロメートルまでアシスト機能が働くそうです。

自転車の重量は軽いもので10キログラム弱、

ママチャリの重いものなら20キログラム程度で、電動キックボードとほぼ同じです。

重量やスピードを比較すれば、なぜ電動キックボードだけが原付きバイク扱いなのか疑問に思いますし、自転車と同程度の安全性は十分にあると、私は考えています。


福岡市では、電動キックボードの安全性を実証するため、2019年からシェアサービスを提供するmobby rideと実証実験を重ねています。

最初の実験は、九州大学の構内で行いました。大学といっても広大な敷地なので、信号があり、路線バスが走っており、たくさんの人が歩いています。

このように、実際の公道に近い環境でデータを集めたのですが、約2700キロメートルの乗車距離で、事故件数はゼロでした。

事例　オンデマンドバス「のるーと」がエリア内を巡回

AIを活用して、複数の乗客を効率良くピックアップし目的地に運ぶ、新しいタイプのオンデマンド型公共交通。福岡市からほかの自治体にも広がっている

事例　自動運転車の実証実験

地域住民はさまざまな自動運転車を体験し、安全性や快適性を実感。公園や道路を使った試乗会では、GPSやセンサーなどを使って周囲を認識するハンドルのないタイプも登場

その後、２０２０年にようやく市内の一部地域での公道実証実験がスタート。現在では都心部での公道走行ができるようになり、ヘルメットなしでの実証実験も始まりました。免許についても、低速であれば不要になる見込みです。

なお、すでに民間によって実装されている次世代モビリティーもあります。

福岡市のアイランドシティでは、現在、ＡＩを使ったオンデマンドバス「のるーと」が運行されています。

利用者はスマホで目的地を入力するだけで、指定された待機場所で待っていれば、バスが迎えに来てくれます。送迎ルートがＡＩで最適化されるのも特徴です。２０１９年4月から1年間の運行予定でしたが、利用者の増加が見込まれることから、延長されることが決まっています。

自動運転バスについても、九州大学の箱崎キャンパス跡地や周辺の道路を使って、地域住民にも参加していただき、運行の実証実験を行いました。

運転手のいない完全自動運転というと、「事故を起こさないか」と不安に感じる人が一定数いらっしゃるため、これまでにない新しいものをスムーズに実装していくために、実際にサービスや製品を体験していただくことに注力しています。

FCV(燃料電池自動車)に関する世界初の仕組み。スマートシティの実現に欠かせないエネルギー

スマートシティの3番目の柱である「エネルギー」とは、電力をはじめとしたエネルギーのバックアップ体制を整え、どのような災害が起きても、エネルギーが確実に供給されるようにすることです。

事例 CO_2フリーの水素ステーション

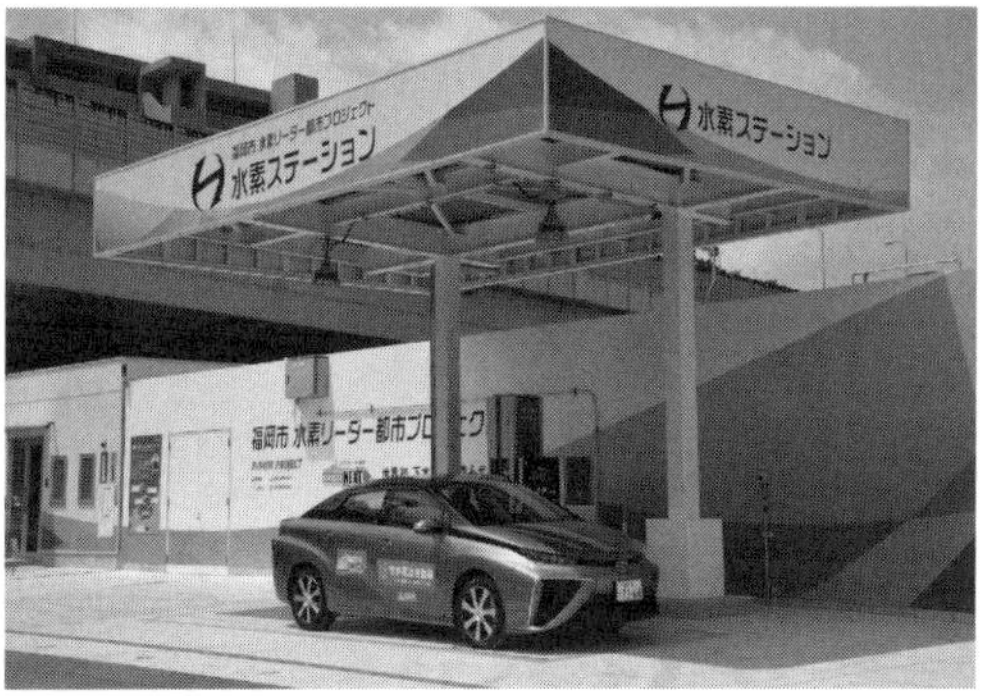

政府は2030年にFCV80万台、水素ステーションを900か所に増やす目標を掲げる。福岡市の水素ステーションは下水汚泥から製造した環境にやさしい「グリーン水素」を供給する仕組み

新型モビリティーのように、ＩｏＴ技術などによって、多種多様なデバイスがインターネットを通じて連携するスマートシティは、さまざまなテクノロジーをレイヤー状に重ね街に実装していきます。当然それぞれのテクノロジーは電力に支えられていますので、バックアップも含め、より安定的にエネルギーを供給することが重要になってきます。

そこで将来的に大きな課題となるのが、万が一災害で停電が発生した場合の電源確保です。

たとえば、トヨタの「ウーブン・シティ」では太陽光や自家発電の導入が予定されているように、これからのまちづくりは非常時におけるエネルギー確保まで考えておくことが必要不可欠になります。

福岡市では、下水汚泥から取り出した水素を活用した水素ステーションを運営して、FCV（燃料電池自動車）に直接充てんする世界初の施設を持っています。ここで生み出す水素エネルギーだけですべてを賄えるわけではありませんが、万が一停電が起こった場合は、日常生活に多大な影響を及ぼしますから、非常用のバックアップとしても、このような多様な形でエネルギーを生み出し、使えるようにしておくことが肝要であると考えています。

また、すでに全国の多くの自治体が行っていると思いますが、福岡市でもごみ処理施設において、ごみ焼却の際の熱を使った発電を行っています。ここで生み出されるエネルギーは、年間約2億5000万キロワットであり、電力使用の多い時間に合わせてゴミを焼却して電力を生み出せば、バックアップ電力として活用することができます。

世界のどこにもない
イノベーションが幾層にも重なった街を創造する

事例　イスラエルでは電動キックボードが普及

イスラエル・テルアビブでは「Lime」と「BIRD」といった電動キックボードが街中の至るところに設置されている。都市内移動のラストワンマイルを埋める手段として活躍

私は今まで、国内外を問わず、さまざまなスマートシティを視察してきました。

たとえば、イスラエルのテルアビブでは、すでに街中に普及している電動キックボードに試乗させてもらいました。

また、スタートアップ分野での連携をするために、MOU（了解覚書）を締結したのですが、その際に訪れたイスラエル政府イノベーション庁の庁舎内は、ドアのロック解除に、目の虹彩パターンを読み取る生体認証システムが導入されていました。

フィンランド・ヘルシンキにある、スマートシティ地区「カラサタマ地区」は、地区内に自動運転バスが巡回していたほか、居住者が分別して出したゴミが地下の管を通ってゴミ収集センターへ運ばれる「ゴミ収集システム」が導入されていました。

ただ、いずれも、セキュリティーやモビリティーなど、何らかの分野に関しては優れているものの、複数のレイヤーでスマートを重ねている街はありませんでした。

たとえば、第二章でもご紹介した、電子政府を実現していることで有名なエストニアですが、「行政関係の手続き」はしっかりとオンライン化が進んでいるものの、街の中までスマート技術であふれているわけではありません。

どのスマートシティも、スマートなシステムが単体では導入されていますが、相互にシステマチックに連携、機能しているものはなく、街全体としてのスマートシティ化はまだまだであると感じました。

だからこそ、福岡市に、あらゆる分野のスマートを幾層にも重ねた街を作ることに、意味があると思ったのです。もちろん、そうした街を実際に作ることで、福岡市に新たなイノベーションをもたらしてくれる人材が集まってくれることも期待しています。

もっとも、少子高齢化をはじめとする今後の社会の課題とそのリスクの大きさや、未来の課題に対する解決策がすべての人の共通認識となっているわけではありません。そのため、スマートシティを目指す意味をなかなか理解してもらえないこともよくあります。「なぜ『Ｆｕｋｕｏｋａ　Ｓｍａｒｔ　Ｅａｓｔ』をやる必要があるのか」「ほかのやり方ではだめなのか」といった質問を受けることがしばしばあります。

さらには、「公共施設をどこに配置するのか」「どんな施設を誘致するか」といったこれまで同様のウワモノの議論に終始するケースも少なくありません。

だからこそ、実証実験などを通して、テクノロジーが私たちの未来にもたらしてくれる可能性をしっかりと示すことで、一人でも多くの市民に共感してもらえるようにしていかなければならないと思っています。

もしかしたら、みなさんの中にも「スマートシティ」という言葉に対し、単なる「電動の街」「ぬくもりのない冷たい街」というイメージを抱いている人がいるかもしれません。

私が考えるスマートシティは、ＳＦ映画に出てくるような無機質な街ではなく、地域のコミュニティーが生まれ、人と人、人と地域の助け合いが生き続け、そこにテクノロジーという新たなもう一つの支えが溶け込んでいくあたたかな街です。あえて言うなら、自助、共助、公助、そして「技助」によって成り立つ街です。

個人の力、地域の力、行政の力に加えて、技術の力で利便や安全性が向上した街。

それが、私が思い描くスマートシティのイメージです。

ルールが変わるときにチャンスが生まれる

天神ビッグバンが生み出す世界初「感染症対応シティ」がコンセプトの街づくり

これから、私たちの働き方や暮らし方は大きく変わっていくでしょう。コロナ禍を経て、その変化はさらに加速するのではないかと思います。

そして私は、今後、日本は東京一極集中の時代から地方拠点都市の時代になっていくと考えています。

実際、新型コロナウイルスの影響によって東京の機能の一部を福岡に移転する企業が出てくるなど、市への問い合わせも相当増えていますし、2021年の公示地価で、福岡市は大都市圏の商業地の上昇率において、東京を抜いて全国1位となりました。

また、2020年、国が国際金融機能誘致の候補地として、東京、大阪、福岡を検討している旨の報道がなされました。外資系金融機関の誘致を強化するため、産学官によるオール福岡の推進組織「TEAM FUKUOKA（チーム福岡）」を発足させ、早速、香港を拠点にしているアジア有数の資産運用会社や、シンガポールと東京からIT技術を使った新しい分野の金融関係企業の福岡進出を成功させました。

このように、コロナ禍でも新しい希望が芽吹いている理由の一つとして、福岡市が掲げている「感染症対応シティ」というコンセプトの影響も挙げられるでしょう。

福岡市では現在、「天神ビッグバン」というプロジェクトを進めており、中心部の70棟もの民間ビルが建て替わる計画になっています。

計画がスタートした2015年から2019年までは、「最新の耐震・免震構造による安全性やデザイン性に優れ、高付加価値のビジネスを受け入れることができるハイクオリティーなオフィスに建て替えていこう」という方向性でしたが、コロナ禍を受け、すぐに「感染症対応シティ」という新たなコンセプトを打ち出しました。建て替えの際に、非接触・換気・通信環境・ディスタンス確保などの設備や機能を付加した事業者は、容積率緩和などのインセンティブを市から受けられるとし、都心部を、感染症対策が万全なビル群に生まれ変わらせることにしたのです。

グローバル化が進み、人の移動が多い世界では、今後も第2、第3のコロナ禍が起こる可能性が十分あります。そして、都市という極めて効率的に出来上がった街の弱点が感染症であるということも、今回明らかになりました。

事例 「天神ビッグバン」で建て替えが進む

明治通りと渡辺通りが交差する天神交差点(写真上)は、「天神ビッグバン」エリアの中心地。開発が進み、以前とは風景が劇的に変わっている

天神ビッグバンの第1号プロジェクトが「天神ビジネスセンター」(写真下)だ。地下2階・地上19階で、高さ約89m。延べ床面積約6万1,000㎡、総貸付面積は3万3,000㎡超を持つ天神エリア最大級のオフィスビルとなる予定

容積率緩和の対象となる感染症対策の取り組み例

換気	機械換気、自然換気増強
非接触	エレベーターのタッチレス化
身体的距離の確保	人数検知技術を活用した入室分散管理システム
通信環境	全館Wi-Fiの導入
その他	エアシャワー、抗菌素材の導入

高さ制限の緩和に加え、一定の基準を満たした事業者に容積率の緩和などのボーナスを与える仕組み。従来の「国際競争力」「環境」などに加えて、コロナ禍以降は「感染症対策」も対象となった

それなら逆に、再開発に合わせて「世界のどこよりも感染症に強い街」を作れば、福岡市にとっては大きなアピールポイントとなります。

少し前になりますが、『シン・ニホン　AI×データ時代における日本の再生と人材育成』（ニューズピックス パブリッシング）の著者で、コロナの状況下で「開疎化」という言葉を生み出した慶應義塾大学環境情報学部の安宅和人教授による、以下のようなTweetに、多くの関係者が驚き、勇気付けられました。

「ちなみに九州博多の #天神ビッグバン では、#高島宗一郎 市長のもと数十のビルの建て替えが進んでいますが、空間が広く、疎《まばら》で、空気の入れ替え速度が早く、しかもプラズマで殺菌するという強烈に開疎なビルを一気に建て始めています。世界最先端の都市開発と言えるのではないかと思っています」

実際に、企業のみなさんにもこのコンセプトに呼応していただき、2021年の秋に完成する「天神ビジネスセンター」は、ビルの入り口からエレベーターに乗り、目的のフロアまで行くのも、トイレを利用するのも完全非接触です。また、高層階でも外気を積極的に取り入れる高性能フィルター付き外気取り込み口、個別空調システムや除菌ユニットの設置が新たに追加されました。

さらに、その隣の「福ビル街区建替プロジェクト」でも、オフィスの全フロアに、天候や騒音に左右されず自然換気が可能となるダブルスキンシステムが採用される予定です。今後も、このような、感染症対応の万全なビルが、福岡市都心部に次々と生まれていくでしょう。

有事の発生で民間が不安に陥っているときこそ、行政が明確な方向性を打ち出すことが大切になります。特にコロナ禍のように、「いつ終わるかわからない」ピンチに見舞われると、人々の意欲と緊張感がどうしても切れてしまいがちです。

そんなときに、「少し背伸びをすれば、届きそうなくらいのところ」に明確な目標を設定することで、人々はそこに向かって力を注ぐことができます。前向きなビジョンを常に提示することこそ、有事における行政の真のリーダーシップだと思うのです。

航空法の高さ制限を打ち破った。規制緩和と街づくりの真髄

天神ビッグバンを例として、もう一つ、規制緩和という視点からの街づくりについてもお話ししておきましょう。

私が市長に就任した10年前、福岡市内のオフィスビルの空室率は「借り手優位」となる目安の5％を大きく超える約11％でしたが、近年は需要の高まりに伴い1～2％台の水準が続いていました。

しかも、老朽化が進んでいて、ＩＴやセキュリティー設備が整っていなかったり、耐震強度が十分でなかったりするビルもあるのですが、これまで「建て替え」に向けた動きは全く起きていませんでした。

空きオフィスの少なさやオフィスのスペックの低さが原因で、福岡への移転を希望していた企業の誘致に失敗してしまったこともあります。

ビルの建て替えが進んでいなかった大きな理由は、航空法で定められたビルの高さ規制の影響です。

福岡市は、地下鉄の博多駅～福岡空港駅間がわずか5分と非常に近く、日本の数ある都市の中でも、特に空港へのアクセスが良いと言えます。

それだけ利便性が高くメリットも大きいのですが、逆にデメリットもあります。

航空法では、航空機の旋回飛行や離着陸の安全を確保するため、空港周辺の高さ制限が設けられており、制限の上に出る高さの建造物や植栽などが禁じられているのです。

その規制のもと、天神地区のビルの多くは規制の限度までの高さで建てられており、建て替えることにしても、高さは変えられず、逆に建築後にできた容積率（敷地面積に対する延床面積）の規制により、従来よりも全体の床面積が狭くなってしまうのです。

ビルのオーナーにとっては多額の投資をして建て替えるメリットがなく「今のままでも、ほぼテナントが埋まっているから」という理由で、老朽化したビルがそのまま使われてきたわけです。

一方で、行政側からすると、市民の安全を考えて耐震性の高いビルに建て替えてほしいという思いも、今後、福岡市をより「尖らせていく」ため、最新の設備を備えた高付加価値のビル街になってほしいという思いもあります。しかし、建て替えにかかる費用や、建て替えにより収入が減る分を、補助金で補てんするわけにはいきません。

高度成長期に人口が増え、一気に公共施設を作ったり、住宅開発を進めたりした自治体もありますが、それらが今、一斉に更新しなければならない時期を迎え、財政を圧迫しているケースも見受けられます。

今後の高齢者の増加、人口減少に伴う税収減の中で、建物というハードのメンテナンスに補助金を出し再開発を推進するのは、持続可能性が低く、極めてリスクが高いと言えます。

私は、福岡市役所が持っている権限を最大限活用し、民間のみなさんが建て替えを進められるようなインセンティブを作ることが必要だと感じました。

そこで、国家戦略特区に指定されているという強みを生かし、国の規制で最大のボトルネックとなっていた「航空法の高さ制限」の緩和を勝ち取りました。

さらに、国の規制緩和を行わずとも、福岡市が独自で行うことができる「容積率の緩和」というインセンティブ（通称、「天神ビッグバンボーナス」）も用意し、天神ビッグバンを進めることにしたのです。

この規制緩和がトリガーとなり、次々と民間ビルの建て替え計画が発表されました。当初30棟の建て替えを目標としていましたが、２０２６年までに70棟ものビルが建て替わる見込みです。

行政には規制をする権限がありますが、規制を緩和する権限もあります。

それを戦略的に使うことで、民間企業側にも大きなメリットが生まれるため、行政のお金（税金）を使わずとも、民間の力で再開発を進めることが可能となります。

天神ビッグバンは、これまで多用されていた、「補助金」による街づくりではありません。「規制緩和」を中心とした、新しい形の街づくりであり、行政にも事業者にもウィンウィンの関係を作ることができていると自負しています。

課題解決のヒントはどこにでもある

福岡市の都市開発に関わるほとんどの人が不可能と考えていた「ビルの高さ制限の緩和」は、ちょっと視点を変えたことがきっかけで実現しました。

ある日、市役所から、見慣れた福岡のビル街を眺めていた私は、あることに気づきました。同じような高さのビルが立ち並ぶ中、1つだけほかのビル群から図抜けて高い鉄塔があったのです。

それは、ある大手企業のビルの上に立つ鉄塔でしたが、私が疑問に思ったのは、「航空法上、あの高さは許されるのか」ということでした。

そしていろいろと調べてみたところ、その鉄塔に関しては特例が認められていることがわかったのです。

実は、航空法の高さ規制には、「地形又は既存物件との関係から航空機の飛行の安全を特に害さない物件については、申請により所管航空局長（福岡空港については大阪航空局長）の承認を受ければ、当該制限表面の上に出て、これを設置することができる」という特例があります。

同じエリアに立っていながら、あの鉄塔があの高さで「航空機の飛行の安全を特に害さない」と認められているなら、エリア全体の規制を緩和できるのではないか。

そう考えた私は、国家戦略特区の活用を念頭に、さっそく国との交渉に入りました。

その結果、「最大76メートルまで」とされていた高さの制限が、最終的には「最大115メートルまで」に緩和されたのです。

さらに、すでにお話ししたように、福岡市としても、せっかくの高いビルを無駄なくフル活用するため、ビルの容積率も緩和しました。これも、政令指定都市だからこそできたことです。

1棟だけ高い鉄塔が立っているのを「そういうものだ」と納得してしまうのではなく、「なぜあの鉄塔は、ほかよりも高くても大丈夫なのだろうか」と疑問を持ったこと。

昔から決まっているから、きっと変えられないという思い込みを捨て、規制を緩和する方法がないか考えたこと。

それが、天神ビッグバンを前進させる、大きなきっかけとなったわけです。

余談ですが、天神ビッグバンの第1号の天神ビジネスセンターには、2020年11月にジャパネットホールディングスの入居が決まりました。全国20拠点に約3000人の従業員を抱える企業ですが、東京への一拠点集中を避けるために、東京から主要な機能を福岡へ移転するのです。

コロナ禍により、オフィスや従業員の「一極集中」がリスクであるという時代に変わったことを示す、象徴的な出来事だと感じました。

ベンチャー魂を体現したアソビュー

課題があるということはニーズがあるということであり、そこに新しいチャンスがあるとも言えます。実際、天神ビッグバンも、コロナ禍に襲われたからこそ「感染症対応シテイ」というコンセプトを打ち出すことができ、「街の多くのビルが感染症に強い」という新たな街のセールスポイントを創造することができました。

また、福岡市はスタートアップ都市宣言を行い、街を挙げてさまざまなスタートアップ支援を行っています。開業率も全国1位になりました。コロナ禍で新たなニーズが生まれている今こそ、求められるサービスを矢継ぎ早に提案する。スタートアップにはまさにチャンスのときなのです。

なお、私が会長を務める「スタートアップ都市推進協議会」は、「一般社団法人熱意ある地方創生ベンチャー連合」と一緒に、毎年、「地方創生ベンチャーサミット」というイベントを開催しています。

この節のタイトルである「ルールが変わるときにチャンスが生まれる」という言葉は、この熱意ある地方創生ベンチャー連合の共同代表で、アソビューの代表でもある山野智久氏が語った言葉です。

山野氏が代表を務めるアソビューは、観光レジャーの予約サイトを運営し、急成長していましたが、コロナ禍の影響を受け、売り上げがほぼゼロになってしまいました。投資家や取引先から厳しい言葉をかけられ、苦しい状況に追い詰められながらも、山野さんは「事業を継続し、一人も解雇しない」という明確な方針を打ち立てました。そして、「社員をシェアする」、つまり他社への出向を教育と意義づけ、社員を1年間、出向させることを決断したのです。

さらに、残った最少のメンバーで、「密を避けるため、観光地の施設の入場者数を時間ごとに平準化する」システムを作り上げたところ、多くの施設で導入され、わずか4カ月で過去最高益を達成しました。

この、彼と社員たちのストーリーはＮＨＫでも放送されたのですが、苦境に立たされながらも顧客ニーズを掴み、飛躍のチャンスに変えていくベンチャー魂を見せてくれた山野氏たちの姿は、多くの視聴者を勇気づけてくれたのではないかと思います。

コロナ禍でチャンスを掴《つか》むスタートアップ

アソビューのように、コロナ禍で顧客のニーズを吸収し、自社サービスをブラッシュアップさせているスタートアップ企業は、福岡市にも複数あります。

2015年に福岡市で開業したtsumug（ツムグ）も、その一つです。tsumugはもともと、賃貸住宅やホテルの空室などを、時間貸しのワークスペースとして、ビジネスパーソン向けに提供するサービスを中心に行っていた企業です。

コロナの影響で、テレワークの導入が多くの企業で進みましたが、「自宅では仕事に集中しづらい」、「有料のワークスペースを利用しようにも、自宅近くにはなく、結局、電車やバスで都心部まで出ざるを得ない」といった社員からの不満の声が上がるなど、テレワークが思うように機能せずに、多くの企業が頭を抱えていました。

一方で、コロナ禍による経済的な打撃により、ビルのテナントや店舗の撤退、ホテルの稼働率低下など、空き物件、空きスペースの増加傾向が顕著になるという社会の動きもありました。

tsumugは、コロナ禍によるこの2つの変化を敏感に察知し、テレワークをうまく浸透させたいという企業のニーズに応えるため、空き物件を有効活用し、法人向けにテレワーク用のオフィス（分散オフィス）として提供する新たなサービスを立ち上げました。

ｔｓｕｍｕｇの「分散オフィス」は住宅街の中など、都心部以外にもあり、自宅近くでのテレワークが可能となることから、多くの法人顧客に受け入れられているようです。

ちなみに、ｔｓｕｍｕｇの事業は福岡市で行っている、「Ｂｅｙｏｎｄ Ｃｏｒｏｎａｖｉｒｕｓ（ビヨンド コロナウイルス）」実証実験フルサポートの採択事業の一つで、ほかにもたくさんの企業に応募していただいています。この実証実験フルサポート事業は、ウィズコロナ時代の新しいサービスを生み出す企業に対して、地域との調整など一企業だけでは難しい部分を福岡市がフルサポートして、社会実装の後押しをするものですが、苦しい状況にあっても多くのチャレンジャーがいることを心強く感じています。

思わぬアクシデントや難しい局面に遭遇したとき、大事なのは、マインドセットを変えることです。迷いと葛藤の中でも、何とかピンチをチャンスに変えようと努力し、孤独から逃げずに踏ん張った人と企業に、チャンスは訪れるのだろうと思います。

第四章

テクノロジーを社会実装するための力学を知ろう

スタートアップ支援から見えたノウハウ

日本のスタートアップへの危機感

私は、「自分たちの時代は自分たちで勝ち取るもの、創造すべきものである」と思っています。決して、誰かから相続するものではありません。

しかし、戦後の急成長を経て成熟期を迎え、法や規制があらゆる分野にまで浸透し、複雑に絡み合っている日本においては、「創造」以前の問題が大きく横たわっているように思います。法や規制ができたときには想定していなかったようなテクノロジーやビジネスモデルが生み出され、海外では社会への実装が進む一方、規制が張り巡らされた日本では、世界と戦う以前に国内の規制に足を引っ張られることが多く、スタートアップに最も大切なスピード感が奪われた結果、新しいチャレンジャーの戦意を喪失させています。

事例　天神にスタートアップ拠点「FGN」を構える

日本最大級の官民共働型スタートアップ支援施設。弁護士や司法書士などの相談や、海外進出のサポートなどが無料で受けられる。2021年2月時点で150社近くのスタートアップ企業が入居

市長就任以来、私がスタートアップ支援を福岡市政のど真ん中に位置づけ、力を注いできたのは、福岡市を成長させることはもちろん、そんな日本の閉塞感を打破し、「リスクをとってチャレンジすること」が尊敬される社会の端緒を開きたかったからです。

福岡市は、２０１２年に「スタートアップ都市ふくおか宣言」を行い、２０１４年には「国家戦略特区」を獲得、２０１７年にはスタートアップ支援拠点「Ｆｕｋｕｏｋａ　Ｇｒｏｗｔｈ　Ｎｅｘｔ（フクオカ・グロース・ネクスト）」をオープンしました。最初は小さかった波が、徐々に重なり合って大きなムーブメントとなり、既存企業とのコラボレーション、地場銀行へのＥＸＩＴ（株式譲渡）、ＩＰＯ（株式公開）などを行うスタートア

ップも出始めました。開業率は政令指定都市で第1位（2019年度）となり、人工衛星を打ち上げるQPS研究所や、蚕の研究から「食べるワクチン」を開発するKAICOのようなスタートアップまで、多種多様な企業が生まれています。

しかし、日本の未来を考えたとき、こういったチャレンジングなスタートアップの数が全く足りていないというのが私の認識です。

ライバルの存在は、人を成長させます。ですから、もっと同ジャンルにたくさんのスタートアップが現れ、切磋琢磨し合うのが望ましいのですが、残念ながら、まだそのような状況にはなっていません。10代、20代の若者の人口比率が政令指定都市で最も高く、10年間の集中的な取り組みにより、スタートアップが日本のどの都市よりも市民権を得ている福岡市ですら道半ばなのですから、日本全体では言うに及ばずです。

第四章では、10年間、スタートアップ支援の最前線にいたからこそ見えてきた、スタートアップの成功を阻む社会構造を解き明かし、スタートアップ側が取るべき戦略を紹介します。ひいてはそれが、あらゆる分野のチャレンジャーの行動のヒントにもつながるはずであると、私は思っています。

既得権は、変化を阻む最大の原因の一つ

「規制」は、既得権者を守る砦となる

日本を変えるうえで大きな障壁となるのが既得権です。

前にもお話ししましたが、新たなサービスや製品を社会に実装させていく際に、前提とされる条件の一つが「安全性」です。もちろん、ゼロリスクなどあり得ませんが、新たなサービスや製品には、過度にゼロリスクが求められます。

かつては日本社会でも、「利便性を得るためであれば、一定のリスクは許容する」という冷静な判断が下されていました。

たとえば、私たちが日常的に使っている自動車は、事故により人命が失われるというリ

スクを抱えています。しかし、利便性が高いために、そのリスクは許容され、今や国民生活になくてはならないものになっているわけです。

ところが、現代の日本社会では、現状を変えたくない既得権者たちが、新しいサービスや製品の利便性よりもリスクを過度に煽り、ライバルの参入を阻んでいるのです。

世の中の規制の多くは、当然のことながら、当初は「安全や社会秩序を守る」ために作られました。しかし、その後、社会情勢やニーズが変わっても、多くの法や規制は当時のまま残り続けており、それらが新しい発想やイノベーションを阻み、既得権者の利益を守る砦としての役割も果たしています。

規制があれば、市場への新規参入のハードルが高まり、既得権者は競争のない環境で市場を独占し、安定した利益を得ることができます。そして、この権益を守るため、既得権者たちは、組合を作って発言力を高めたり、選挙運動に協力して政治家を支援したりすることで行政に圧力をかけ、制度や規制が変えられないようにしています。

現在、既得権サイドにカテゴライズされる人たちの多くも、最初はチャレンジャーであ

り、自分たちのビジネスをより確固たるものにするべく取り組み続けてきた経験がありま
す。そして、たとえイノベーションを生み出せなくても、規制によって新規参入を阻むこ
とで、市場を独占できるノウハウを蓄積するに至ったのです。

「人を動かす2つのテコがある。それは恐怖と利益である」というのはナポレオンの言葉
ですが、人は往々にして、利益につられたときよりも恐怖にかられたときに、大きな力を
発揮するものです。自分たちの利権を脅かしそうな新しいビジネス、参入者が現れると、
既得権者はあらゆる手段を使って、必死で抵抗してきます。

一方で、スタートアップに代表される新規参入側は、「良い製品・サービスであれば、
必ず市場に受け入れられるはず」という経済合理性を旗印として掲げ、満足していること
が少なくありません。

ビジネスパーソンが集うニュースサイトのコメント欄にそうした正論を書けば、同じビ
ジネスリテラシーを持つ方からの賛同を得られるでしょう。しかし、現実の政治や行政を
変える力学を考えると、そこは力点ではないため、作用点（規制）は何も変わらず、意味

はありません。

変わらない古い規制への不満と改革マインドを抱えているなら、現状を変えるための正しいアクションにまで昇華させなければなりません。そうしなければ、命懸けで戦いを挑んでくる既得権サイドに勝てるはずがないのです。

ライドシェアの実証実験頓挫から学んだ大切なこと

既得権者の反対によって、新しいビジネスの実現や、市場への新規参入が阻まれたケースは、枚挙にいとまがありません。

ここではわかりやすい事例として、6年前に福岡市で起こった、「ウーバージャパンによるライドシェアサービスの実証実験が1カ月で中止になった」出来事についてお話ししましょう。

ウーバージャパンは、アメリカのウーバー・テクノロジーズが2013年に設立した日本法人です。コロナ禍により、料理の宅配サービス「ウーバーイーツ」の方が一気に知名度を上げましたが、「ウーバータクシー」事業も、東京、大阪、福岡をはじめ、全国30

以上のエリアで展開されています（2021年4月現在）。

ただ、日本のウーバータクシーには、海外とは大きく異なる点があります。海外では、一般のドライバーでもウーバーに登録すれば、自家用車を利用して個人がタクシー業務を行うことができます。いわゆる「ライドシェア」であり、ウーバー・テクノロジーズは、そもそもはライドシェアビジネスのパイオニア的存在です。しかし日本でのウーバータクシーは「タクシーの配車サービス」にとどまっています。

実は、2015年2月に福岡市で「みんなのウーバー」と名付けられた、ライドシェアサービスの実証実験が行われました。二種免許を持たない一般ドライバーによる初めての挑戦だったため、最初は「無料での実証実験」という形で行われたのです。無料であれば、日本でも昔から普通に行われている「ヒッチハイク」と、内容的には何ら変わりはないはずです。

ところが、当初はこれを黙認をしていた国土交通省から、途中で「自家用車による運送サービスは、道路運送法で禁止されている白タク行為に当たる」と突如指導が入り、同年

3月、「みんなのウーバー」はたった1カ月で中止することになりました。

この実証実験は、ウーバーと産学連携機構九州との事業だったのですが、この間、私のところにも国会議員秘書などを通じて、実証実験の中止を求めるタクシー業界関係者からの面会依頼がありましたし、国会議員や地方議員に対してもさまざまな働きかけがありました。

タクシー業界出身の議員さんや業界関連の議員さんは全国各地にいらっしゃいます。免許制度がある、いわゆる許認可制のビジネス分野では、必ずと言っていいほど業界側から制度を作る側や運用する側の国や地方議会へ、議員を送り込んでいるのです。あるいは、特定の議員を業界としてまとまって応援しているケースもあります。

業界へ理解を示していただける「仲間の議員」を作っていくことは、業界にとって大きな力になりますし、議員側としても選挙での組織票が期待できるため、ウィンウィンの関係が成り立っているのです。

大切なのは社会課題を解決するという「大義」

このように、既得権サイドが盤石な守りを見せる中、スタートアップなど、「新しいサービスや製品を社会に実装したい」人たちは、どうすればよいのでしょうか？

その一つの答えとなるのが、「社会課題の解決」といった、誰もが納得する「大義」を打ち出すことだと、私は思います。

たとえば、新しいライドシェアサービスは、都市部では既存のタクシー業界にとって脅威になりますが、日本には高齢化や過疎化が進む山間エリアや農村部のように、駅前にすらタクシーが並んでいない、そもそもタクシーが走っていない地域も多数存在しています。「こうした地域における、交通手段の不足という課題を解決する」という大義は、既得権の分厚い壁に突破口を開くきっかけとなり得るでしょう。

福岡市内にも、高齢者が多くバスの便数も少ない丘陵地の住宅街があります。ウーバータクシーの実証実験も、このようなエリアでスタートし、「高齢者がドアトゥドアで買い物などに利用できる」ことをアピールしていれば、もしかしたら大義を得られ、成功していたかもしれません。

都心部での速やかなビジネス展開を望むウーバー本社の狙いなどもあり、最終的に福岡市中心部での実証実験スタートとなってしまったようです。

一方で、福岡市と同様、国家戦略特区に指定されている兵庫県養父市では、タクシー会社が経営上運送を担えない中山間地域限定で、登録された一般ドライバーによる運送サービスが行われています。

社会課題の解決という大義が一つの突破口になった典型的な事例だと言えるでしょう。

既得権サイドのアップデートによる改革が奏功した事例

ちなみに、これまでは既得権者を、どちらかというと「成長を阻む存在」「新しいものを拒否し、既存のやり方を変えようとしない存在」として書いてきましたが、既得権サイドがビジネスのアップデートや改革により、挑戦者に対抗しようする動きもあります。

たとえばタクシー業界においては、日本交通の川鍋一朗会長が中心となって、日本初の配車アプリを開発するなど、業界に新たな風を吹き込むさまざまなチャレンジを行っており、川鍋会長は46歳の若さで業界団体である全国ハイヤー・タクシー連合会の会長に就任しています。

現在では、日本国内でもアプリでのタクシー配車や決済は当たり前になり、ここ数年で日本のタクシーサービスの利便性は大幅に向上しました。タクシーは多くの方が利用する都市インフラですから、今後さらにライドシェアに負けない革新的なサービスを打ち出していただけることにも期待しています。

ただ、いずれにしても、免許制度に守られたタクシー業界が改革のスピードを上げた要因として、ウーバーという黒船が日本に入ってくる危機感があったのは間違いないと推測します。そして前会長から33歳も年下の若きチャレンジングな人材を業界団体のリーダーに抜擢した選択も、変わらなければという業界の危機感の表れの結果だと思います。ライバルと切磋琢磨する緊張感こそが、サービスのレベルを上げるのです。

今後、たとえば、大手都市銀行などは、どうなっていくのでしょうか？　フィンテックのような、テクノロジーを最大限に活用した金融サービスが銀行の機能を飲み込んでいくのでしょうか？　それとも、銀行自身がリスクをとってサービスを改革していくのでしょうか？

免許に守られ、寡占状態が続く放送局もピンチを迎えています。

放送から通信への不可逆の流れの中で、広告収入のパイは加速度的に通信に流れています。「巨額の放送設備がなくても、コンテンツを通信で流せる」という環境の中で、ＮｅｔｆｌｉｘやＹｏｕＴｕｂｅといった強力なライバルたちに勝てるコンテンツを制作しなければなりません。

放送局は、これから、コンテンツを中心に据えて、通信に対抗できるような新しいビジネスモデルを創り上げることができるのでしょうか？　それとも、魅力的なコンテンツを生み出せずに収入が激減し、通信に飲み込まれて存在感をなくしてしまうのでしょうか？

このような、スタートアップサイドからのイノベーションと、既得権サイドのイノベーションの真っ向勝負が、さまざまな分野で繰り広げられています。現状維持に執着するのか、あるいは、リスクをとってでもサービス向上を図り、むしろチャレンジャーの尖りさえも飲み込むくらいにまで進化するのかという大きな岐路に、かつてはチャレンジャーだった既得権サイドも立たされているのです。

既得権の壁を乗り越える方法

まずは既得権者の正体を見極める

さて、ここからは再び、スタートアップなど、新しいサービスや製品を社会に実装させたいと思っている人たちの立場に立って、話を進めましょう。

今までの話から、革新的なビジネスの立ち上げや、市場への新規参入、あるいは既存の枠組みの変革を行う際、既得権者からの反対・反発が大きな障壁となることが、みなさんにも具体的にイメージしていただけたのではないかと思います。

それでは、この障壁は、どうすれば乗り越えることができるのでしょう?

私は、制度改革や新しい製品・サービスのスムーズな社会実装のためには、まず「当該分野に既得権者がいるかどうか」「いるならば、相手は誰なのか」をしっかり見極めることが重要だと思っています。

既得権者が政治活動を行っているかどうかも、注目すべきポイントです。ここでいう政治活動とは、選挙運動の支援や熱心なロビー活動など、「政党や政治家と強いつながりを作る活動」を意味します。

もし既得権者が政治活動をしている場合、彼らから支援を受けている政治家は誰なのか、何の分野に強い人なのかを調べてみてください。今後、既得権を守る壁として立ちはだかってくる可能性があるからです。

そういった難敵を相手取りながら、自分たちの要求を通していくためには、単に自分たちの理想を語って終わりにするのではなく、「大義」を打ち立て、既得権者が納得せざるを得ないような戦略的な話の進め方をするなり、状況を変えられるだけの力を持つなり、考え方の同じ議員などに相談するなり、何らかの戦略を実行する必要があります。

政治家をもっと活用しよう。「議員に相談」の超具体的なアクション

ただ、「議員に相談する」といっても、具体的に何をすればよいのかイメージが湧かない方がほとんどだと思います。

そのような方は、まず、自分が選挙権を持つ選挙区の国会議員事務所へ相談してみては

いかがでしょうか？

日本では、国民が、自分たちが選挙で選んだ代表者を通して間接的に政治に参加する「間接民主主義」が採用されています。そのため、国会議員のそもそもの仕事は、国民を代表し、その声を国政に届けることにあります。

「議員事務所」というと、敷居が高い印象があり、身構えてしまう人も多いかもしれませんが、騙《だま》されたと思って、一度訪ねてみてください。事務所のスタッフなどが気軽に話を聞いてくれる場合がほとんどです。

最近、政治家の特権階級意識を批判する声もよく聞きますが、実は、政治家を必要以上に特別視し、壁を作っているのは国民一人ひとりなのかもしれません。

「国民の代表」という政治家本来の役割を国民自身が再認識し、まずは「政治家をうまく活用する」ことが、すべてのスタートになるのではないかと思います。

政治家にもリスクを負わせていることを理解する

身近な政治家へのアプローチという基本を踏まえたうえで、政治家の動きに物足りなさを感じ、「もっと精力的に動いてほしい」と感じた場合には、政治家側の事情にも思いをはせる必要があります。

政治家を見渡すと、野心的に変革にチャレンジしている方とそうでない方がいらっしゃいます。

「社会を変えたいという自分の思いやビジネスを応援してほしい」と考えている人からすると、もちろん前者のような方に味方についてほしいでしょうが、そのような方は解決するべき課題を常にたくさん抱えています。

複数の相手に、同時に「現状の変革」というケンカを売れば、戦力が分散し、突破力がある政治家でも勝負に負けてしまいます。そのため、今、どの課題に力を注ぐべきか、どの相手と戦うべきか、必ず彼らにも信念や優先順位があるはずです。

特に、強力な既得権者がいる分野で、政治家が新規参入者側に立ち、法改正や規制緩和を進めようと思ったら、かなりの覚悟が必要です。戦いに負ければ、自らの政治生命さえ絶たれる恐れがありますし、たとえ勝ったとしても、既得権サイドから大きな反発を買うなど、ダメージが残ってしまう可能性もあります。

政治家にこうした大きなリスクを背負わせながら、自分は安全圏から眺めているだけでは、当然政治家も本気になって動いてくれるはずはありません。

では、どうすれば良いのでしょうか？

ビジネスを成功させたいなら、「清き二票以上」を投じよう

間接民主主義の日本において、「自らの理想とする社会を創りたい」「社会を変えるような新しいサービスや製品を実装させたい」と思うなら、自分の考えに最も近い首長や議員を当選させ、行政や議会で意見を代弁してもらうこと。それが正攻法であり、一番の早道

かもしれません。

ただ、事はそう簡単ではありません。

というのも、多くの人は、「自分が相手（政治家）にしてほしいこと」ばかり考え、「自分が相手（政治家）に何ができるか」を考えていないからです。

あなたは選挙事務所に行ったことがありますか？

ビラを配ったり、街頭演説の手伝いをしたりしたことがありますか？

演説会に仲間を連れて行って話を聞かせたことはありますか？

実は、多くの人は、選挙に関わったことがないのではないでしょうか。

もしかしたら、みなさんの中には、「いや、選挙に関わったことはありませんが、選挙には行っています」「応援したい立候補者に自分の一票を投じています」という人もいるかもしれません。

もちろん、選挙で一票を投じるというのは大切な行為です。しかし、これはあくまでも、「選挙権」という個人の権利を行使しただけです。

これに対し、本当の意味で政治家の役に立ち、かつ自分の理想の実現につながるのは「選挙運動」です。選挙運動とは、家族や友人など、自分以外の人に投票行動を呼びかけていくこと、つまり「清き一票以上」を投じることです。

他人に特定の政治家への投票をお願いするのは最初は勇気が必要かもしれませんが、これは、自らが理想とする社会を創っていくための大切な行動と言えるのではないでしょうか。

必死で選挙を戦っている立候補者にとって、自分が大変な状況のときに力になってくれた人はありがたいものです。そんな人から何かを頼まれたら、かなえたくなるのが人情ではないでしょうか。

とは言っても、「私の」選挙活動を手伝ってほしいという趣旨ではありませんので、誤解されませんように(笑)。応援する政治家は、ご自分で慎重にお選びください。

最近ではSNSなどを使った選挙活動をされる方も増えています。

たくさんの友人・知人が見ているSNSで自分の考えを表明することも、やはり勇気がいるかもしれませんが、立候補する側からすると、旗色を鮮明にしてくれる人のことは、本当にありがたく感じるものです。

しかし、選挙中は各陣営とも、ＳＮＳを使ってさまざまな情報収集を行っています。あちらの候補にもこちらの候補にもポジティブなコメントをしたり、手当たり次第「いいね」ボタンを押したりするのは避けた方がいいかもしれません。おそらく、全部バレているからです（笑）。

「ロビー活動」の大切さが理解されていない日本

ビジネスパーソンにとって、製品やサービスの質を高め、その魅力をアピールすることが「表」の営業活動だとしたら、選挙活動やロビー活動を行い、政治家やメディア、有力者を味方にしながらビジネス環境を整えていくことは、「裏」の営業活動であると言えるかもしれません。

そして、法や規制、既得権者の障壁を乗り越え、新たなビジネスを確実に社会に実装させるためには、表と裏の両方に力を注ぐことが必要不可欠です。

ちなみに、海外では、多くの企業が「ロビイスト」と呼ばれるロビー活動のプロフェッショナルを雇っていますし、ロビー活動に投じる予算も桁違いです。2021年1月24日付のウォール・ストリート・ジャーナルによると、2020年のFacebookとAmazonのロビー費用は、それぞれ約2000万ドル、約1800万ドルだったようです。

近年、日本でも徐々にロビー活動の重要性が認識されるようになり、一部の新興企業などが積極的な省庁への働きかけを行い、活動の幅を広げ、目覚ましい成長を遂げています。

ただ、海外に比べると、まだまだこうした活動が浸透しているとはいえません。

「政令指定都市」という地の利を生かす

起業する場所選びも、スタートアップの重要なポイント

新たなサービスや製品、ビジネスモデルやテクノロジーを生み出すのは起業家やビジネスパーソンの仕事ですが、「あるべき社会」を規定するのは政治家の仕事です。法や規制が想定していないサービスを生み出した場合、その規制を緩和して社会で使えるようにしなければ、展示会場でプレゼンするためだけのもので終わってしまいます。

だからこそ、スタートアップを志す人、新たなサービスや製品を広めたいと思っている人は、政治を、社会において物事が決まる力学を知る必要があります。政治と一緒になることで、初めて、生み出したサービスやテクノロジーが社会に実装され、社会の変革へとつながる道が開けるのです。

政治を知り、力学を知ったうえで、理想とする社会を実現させるための方法はいくつかあります。すでにお話ししたように、その一つは、思いを同じくする政治家を応援し、自

分の考えや希望を政治の場に届けてもらうことですが、ほかに、「ビジネスをスタートさせる場所を検討する」という方法もあります。

ビジネスを始めるとき、多くの人はおそらく、今お住まいの自治体、もしくは人口の多い東京や大阪などの大都市をスタート地点に選ぶのではないかと思います。でも、もしそのビジネスが、法改正や規制緩和を必要とするものであるなら、マーケットの規模だけでなく、「前例を重視する」という行政の特性も踏まえ、どの自治体でスタートすべきかを慎重に考えることをお勧めします。

行政における〝前例主義〟を打ち破る

自治体で何か新しいことを始めようとすると、議会などで必ず「なぜそれをやらなければならないのか」と問われます。

しかし、誰も見たことのないサービスや最先端のテクノロジーについて、第三者にわかるように説明するのは大変です。特に、スタートアップが生み出す新しいテクノロジーやビジネスモデルは法や規制ができた時代には想定されていなかったものであり、既存の制度を基に説明することが非常に困難です。

そうなると、自治体の職員がよりどころにできるのは、前例だけとなります。他都市での導入実績と成功事例があれば、議会であれ役所内であれ、説明がしやすくなり、納得も得やすくなるのです。

ですから、新しいサービスの導入について検討するとき、地方自治体の職員は必ず他都市の調査からスタートします。そして、ほかに導入している自治体があれば、ある意味、安心して導入を検討し、多くの自治体が導入していたら、むしろ「導入していないのはまずい」と慌てます。

議会サイドも、「A市では、すでにこのようなサービスを導入しているが、同じ政令指定都市として、うちでも行うべきでは？」といった具合に、導入に後ろ向きな首長やほかの議員を説得する材料として、他都市の事例を積極的に取り上げます。

逆に先行事例がなければ、議員から「新しいサービスを導入したい」という提案があっても、ほとんどの首長は否定的もしくは消極的な回答しかしないでしょう。

前例のない新しいサービスの導入や、過去から連綿と続く制度の改革には、丁寧な説明が求められるだけでなく、既得権者からの反対にも合いやすく、失敗すれば責任を問われることにもなるため、多くの首長や行政職員は二の足を踏んでしまうのです。

つまり、「前例があるかどうか」を重視する日本の行政の特徴を踏まえると、どこか一つの地域で速やかに実現することさえできれば、ほかの地域での展開もしやすくなるという意味で、場所選びが非常に重要になるのです。

その観点からいくと、場所選びのポイントは2つあります。

1つ目は、その地域に、自分のビジネスと利害が対立する可能性がある強力な既得権者がいないこと。

2つ目は、当該エリアの自治体が、大きな権限と高い機動力を持つこと。

特に、この2つ目の条件を満たすのが「政令指定都市」であると私は考えています。

政令指定都市は現場を熟知し、都道府県並みの権限を持つ

私が市長を務める福岡市は、福岡県の県庁所在地であると同時に、全国に20ある政令指定都市の一つです。

私は、政令指定都市こそ、これからの日本にとっての希望であり、そこには日本が変わるためのヒント、成長していくためのヒントがたくさん詰まっていると思っています。

すでにお伝えしたように、市町村は市民に最も近い基礎自治体であり、「現場」を熟知しています。さらに、「基礎自治体優先の原則」からすると、本来都道府県は基礎自治体のフォロー役なのですが、お金の流れなどの関係で、どうしても都道府県の方が権限が大きく、立場も強くなりがちです。

そのため、市町村は、都道府県が決めたことを実行するのに時間や労力を取られたり、独自に新しいことを行う場合も、都道府県の意向をうかがいながら進めたりしなければな

りません。

その点、都道府県並みの権限を持つ政令指定都市なら、市民や地域のために実施すべきと判断したことは、都道府県を通さずに単独で行うことが可能であり、市民の声を間近に感じながら、スピード感を持って新しいチャレンジをすることができるのです。

また、人は「他人事」だと思っていることに対して、なかなか力を発揮することができません。政令指定都市の場合、計画立案から実行まで、すべてを自分たちで管理し、その成果を「自分たちの努力の結果」として感じることができるため、スタッフのモチベーションが高く、新たなチャレンジが起こったり、物事がスピーディーに進んだりしやすいのではないかと、私は思っています。

政治家から見たビジネスパーソンの心得

リサーチをして臨むのは相手が自治体でも民間企業でも同じ

さて、適切なエリアが見つかったら、今度は当該エリアの自治体からの支援を取りつける必要があります。あるいは、自治体に、自社サービスやテクノロジーを導入してもらいたい場合もあるでしょう。

その際、行政に売り込みに行くことがあるかもしれませんが、ぜひ心掛けていただきたいことがあります。

それは、「売り込み先の自治体の首長がどのような考え、ビジョンを持っているか、事前にリサーチし、相手に合わせて売り込み方を変える」ということです。

私も「福岡市で、自分たちの製品や技術を使ったビジネスを展開したい」というビジネスパーソンとお会いすることがよくあります。

市長に就任して10年間、そうした方々から数多くのお話をうかがってきた結果、お会いして最初の数分間で、相手が「できるビジネスパーソン」かどうか、だいたいわかるようになりました。

できるビジネスパーソンは、福岡市や私についての事前リサーチを徹底的に行っています。著書やSNS、出演した番組のチェックは言わずもがな、福岡市の現状をどう捉え、そしてどのような都市にしたいと考えているのかをつぶさに情報収集されているのです。そして、私の抱える問題意識とビジョンをしっかり把握し、「福岡市のビジョンを実現するうえで、弊社のシステムはこんな形でお役に立ちます」といった提案につなげます。

「地方」でひとくくりにするのは大間違い

逆に、「弊社でこのようなサービスを始めたので、ぜひ使ってみてください」とか、「私たちはこの製品で、世の中を変えたいんです」といった話ばかりする人は、自分たちの思い、製品・サービスありきで、相手のニーズを全く考えていないように映ります。

事実、そのような人のプレゼン資料は、たいていが使い回しです。福岡市であろうとどこであろうと、ほぼ同じ内容のものを、宛先だけ変えて持ってくるわけです。

おそらく彼らの心の中には、「地方自治体はどこも同じようなものだ」という先入観があるのではないかと思います。どこの自治体も「人手不足で困っているはずだ」「観光客が来なくて困っているはずだ」などと思い込んでいるのです。

しかし当然のことながら、自治体によって、地域課題や強みも異なりますし、何よりも首長の考え、自治体として目指す方向性が異なります。

たとえば、保険の営業なら、顧客の年齢や家族構成、ライフプラン、加入済みの保険内容などを聞いたうえで、顧客に合った保険プランを提案するはずです。相手の状況やニーズを無視し、「この保険プランは素晴らしいので、ぜひ入ってください」と、誰に対しても同じ商品を薦める営業の方はいないでしょう。

行政へのアプローチも同じです。

手当たり次第に一方的に売り込むのではなく、自分たちの製品やサービスが役に立ちそうな自治体、受け入れてもらえそうな自治体がどこなのかを、きちんと調べること。

つまり、相手をよく知り、相手のニーズに合った製品やサービスを薦めることが、成功への近道ではないかと、私は思います。

「スタートアップ都市・福岡」が目指すもの

「規制緩和×テクノロジー」で新たなニーズを掘り起こすサービス

これまで、新しい製品やサービスを社会に実装させるうえで障壁となるものや、それを克服する方法についていろいろとお話ししてきましたが、ここで、スタートアップ企業が古い規制と業界団体という既得権の壁に突破口を開けた、直近の事例をご紹介しましょう。

2021年4月、福岡市で、駅のロッカーを利用した、洗濯代行（洗濯物の受け渡し）サービスがスタートしました。

単身者や共働きの方にとって、洗濯は、気が重い作業の一つではないでしょうか。仕事が多忙で、家を空ける時間が長くなると、どうしても洗濯物がたまっていきます。洗って干してたたむという一連の作業が厄介で、「できれば誰かに頼みたい」と思う人も少なくないでしょう。

そこに潜在的なニーズがあると考えたのが、スマートフォンでの鍵の施錠管理（スマートロック）技術を持つスタートアップ企業、AiCT（アイクト）です。

AiCTは「既存のクリーニング事業者と組みつつ、自社のスマートロック技術を活用して、普段、通勤で使う駅のロッカーで洗濯物の受け渡しが可能になれば、単身世帯や共働き世帯の家事負担軽減につなげられるのではないか」と考え、まずは福岡市でこのビジネスをスタートさせたいと提案してきました。

スマホで鍵を管理する技術を持つA・iCTが福岡市を選んだわけ

ここで、みなさんは疑問を感じませんか？

昨今、宅配ボックスを利用した「置き配」が普及したように、人を介さない物品の受け渡しは一般的になっています。さらに、A・iCTのようなテクノロジーを持った企業と積極的にコラボレーションし、マーケット拡大を図りたい既存のクリーニング事業者も少なからず存在します。

となると、駅のロッカーを使った洗濯代行サービスは、簡単に行えそうです。それなのに、なぜ今までそうしたサービスがなかったのでしょうか？　そして、A・iCTはなぜ福岡市を選び、提案を持ち込んだのでしょうか？

その答えが、国による規制の存在です。

実は、ロッカーでの洗濯物の受け渡しに関しては、1986年（昭和61年）に厚生省（現厚生労働省）から通知が出されており、その中で、「ロッカーはクリーニング店に併設されること」「消毒が必要な洗濯物（下着類やタオルなど）をロッカーで取り扱わないこと」という考えが示されています。

付着したウイルスや細菌などから、伝染病が広まる恐れがあるというのが理由です。これでは、ロッカーでの洗濯物の受け渡しのために、通勤ルートから外れたクリーニング店までわざわざ行く必要があるうえ、下着やタオルなどは結局自宅で洗濯をしなければならず、単身世帯や共働き世帯の困り事の解決につながりません。衛生面を考えて作られた規制が、一方で、新たな企業やサービスの参入を防ぐ役割も果たしていたのです。

つまり、サービスを実現するためには、35年も前の規制の壁をクリアする必要があり、国の規制緩和も可能な「国家戦略特区」に指定されている福岡市に白羽の矢が立ったわけです。

ちなみに、福岡市では普段から規制緩和や実証実験の相談ができるワンストップ窓口を開き、企業などからの相談を受けて居ます。AiCTのようなビジネスアイデアがある企業にとって、相談の敷居が低いということも、福岡市が選ばれた背景にあります。

全国クリーニング生活衛生同業組合連合会から新サービスへの猛反発

2019年9月、福岡市は国家戦略特区の枠組みを活用し、規制緩和の提案を行いましたが、この福岡市の動きを知り、難色を示したのが、クリーニング業界の組合である、全国クリーニング生活衛生同業組合連合会（以下、全ク連）でした。すぐさま全ク連から福岡市に抗議の連絡がありましたし、全ク連の意向を受けた議員などからも働きかけを受けました。

そして、2020年9月には、全ク連の代表者が、規制緩和提案に対する意見書を提出するために福岡市までお越しになりました。さらに、その際、代表の方が福岡市の担当職員に対して、「近々、全ク連の母体となる全国生活衛生同業組合中央会の懇談会がある。その場に衆議院議員の○○先生が来る」という趣旨の発言をされたそうです。ある大物政治家の名前を突然脈絡もなく出され、担当職員は政治的圧力をかけるということを暗に示されたと感じたそうです。

もちろん、名前を出された議員ご本人が実際にどういうお考えを持っているのかは存じ上げませんが、自分の知らないところで勝手に名前を出されるだけならまだしも、圧力のように使われることは、迷惑だと感じられるのではないでしょうか。

また、2021年4月にサービスがスタートした後にも、全ク連の方々が福岡市に再度お見えになり、今度は、「議員を通じ、市議会やマスコミに取り上げてもらう。中央官庁まで及ぶ大問題となるがいいか?」と担当職員に告げたそうです。

ここで伝えたいのは、新しいチャレンジを潰すために、既得権サイドはあの手この手を使い、ときには政治家の名前を持ち出すなどしてまでプレッシャーをかけてくるという実態です。

ちなみに、彼らの主張は、「公衆衛生の観点から今回のサービスは到底容認できない」というものでした。つまり、下着やタオルを介して感染症の拡大などにつながるのではないかということです。

事例　クリーニング&洗濯代行サービスの1号機を設置

多くの通勤客が乗降する福岡市・姪浜駅にスマートロック技術を使ったロッカーを設置。洗濯物の受け渡しに使われる専用バッグは防水加工されている。事業者は、毎回、バッグやロッカーの内部を丁寧に消毒する

もちろん、福岡市としても、何でもすべて規制緩和をすればいいと思っているわけではありません。安全性の確認などは、当然しっかりと行います。

A・iCTのサービスでは、洗濯物の回収のたびに事業者がロッカー内を消毒し、防水加工した専用のバッグを使用するなど、衛生面での対策もしっかり踏まえたサービス設計がなされていることを確認しています。さらに、ロッカーを介しますから、コロナ禍で求められている人と人との接触の機会を減らすことにもつながります。こういったことから、衛生面での問題を指摘する業界の批判はあたらないと判断し、許可を出したのです。

これはあくまでも推測ですが、全ク連としてはA・iCTの新しいサービスを、「駅というこれ以

上ないくらい便利な場所にライバル店が出現する」と受け取り、こうしたサービスが全国に広がると、自分たちの権益が脅かされるという危機感を持ったのではないでしょうか。

しかし、実際には、Ａ・ｉＣＴのサービスは新たな潜在ニーズを掘り起こすビジネスモデルであり、取次店の一部業務を代行することにはなりますが、実際の洗濯は、既存のクリーニング事業者が行います。

既得権サイドの利益がどれほど奪われるかすら疑問が残ります。

いずれにしても、衛生面という業界側の主張は、一蹴するには、重たいテーマです。

今回のケースでは、そういった反論も想定し、生活衛生を担当する部署が衛生面での対策をしっかりと考えたうえで国家戦略特区の提案に臨んだため、きちんと議論を行うことができました。

既得権の壁を突破するには「大義」が必要だとお話ししましたが、実は既得権を守るときも「大義」はとても強力な武器となります。「安全・安心、命、健康を軽んじるのか」という主張は、ゼロリスク神話を信奉する人々の不安を煽《あお》るという意味で非常に有効であり、提案側に隙があれば、容赦なく潰されてしまうでしょう。

大臣の組閣は総理大臣からのメッセージ

なお、事態が大きく前進したのは、2020年9月、菅政権発足に伴い、河野太郎衆議院議員が規制改革の担当大臣に就任されたのがきっかけでした。国家戦略特区での議論を続けるとともに、河野大臣所管の規制改革の枠組みでも検討を依頼したところ、一気にスピードが加速したのです。

総理大臣がどこに力を入れているかは、組閣を見ればわかります。総理がどこを攻めたいのか、守りたいのかは人事でわかるのです。

規制改革担当に突破力のある河野大臣を就任させたということは、そこに菅総理の思いがあるというメッセージです。

河野大臣の直轄チームと厚労省によって協議が重ねられた末、2021年3月には厚労省から規制緩和の通知が出され、翌4月には福岡市営地下鉄の姪浜（めいのはま）駅で、無事サービスが開始されました。テレビや新聞などにも取り上げられ話題になりましたし、利用者の反応も上々だったと聞いています。

思い返せば、国家戦略特区での提案から約2年、ずっと議論を続けてきた案件でしたが、河野大臣の強力なバックアップもあり、一気に結論が出ました。政治・行政の世界において、このスピード感で何かを変えるというのは本当に奇跡的なことだと言っても過言ではありません。

私は、河野大臣とは何度もお話しさせていただく機会がありました。歯に衣着せぬ物言いがクローズアップされますが、それよりも「自身の政策やビジョンを自分の言葉で語っている」という印象の方が強いです。

思いが乗った言葉には、人の共感を集め、人を動かす力があります。決断力、実行力はもちろんのことですが、河野大臣の言葉の力がこれまでの規制に突破口を開くきっかけになったのだろうと思っていますし、心から感謝しています。

また、粘り強く最前線で事業者と省庁、業界団体の間で汗をかいてくれた担当職員の頑張りにも、感謝しかありません。

リスクを負ってでも、スタートアップを応援する理由

規制緩和や既得権の突破を伴う新しいチャレンジを応援することは、首長や議員にとってはリスクとなります。既得権者や、既得権者とつながりの深い議員からの風当たりは強くなりますし、きちんと結果を残せなければ、批判と敵だけが残ってしまいます。

しかし、それでも私がチャレンジャーの応援に全力で取り組むのはなぜか？

市民のみなさんの利便性向上につながるというのももちろん大きな理由の一つですが、チャレンジャーを応援することが、福岡市を、日本を変える力になると思っているからです。

意欲的なチャレンジが成功を収めているのを目の当たりにすれば、「自分たちにもできるかもしれない」と新たなチャレンジに取り組む人が、きっと次々に現れ、自分たちの未来を自ら創造できる社会へつながると、私は確信しています。

そして、それを「スタートアップ都市・福岡」で実践して見せることこそが使命だと考えているのです。

第五章

未来を創れる国に

目を背けていた問題に立ち向かう

「有事の想定」自体をタブー視することのリスク

日本がなぜワクチン研究で〝敗戦〟したのか

これまで、日本の変化を妨げているのは何か、DXを進めて国と自治体でデータ連携をとることでどのようなメリットが生まれるのか、新しいサービスやテクノロジーを取り入れることで、現在日本が抱えている課題がどのように解決されるのか、新しいサービスや製品を社会に実装していくために何をしなければいけないか、といったことについてお話ししてきました。

第五章では、これまで日本が目を背けていた、そして今後の日本にとって間違いなく重要となるであろうさまざまな問題について、みなさんと一緒に考えていきたいと思います。

まずお話ししたいのが、2021年4月現在、国民全員にとっての関心事とも言える「ワクチン」についてです。

新型コロナウイルス感染対策の切り札とされるワクチン開発において、日本は大きく出遅れています。「日本ではなぜ国産ワクチンが迅速に作れないのか」と疑問に思っている方も多いでしょう。

ファイザーやアストラゼネカ、モデルナなど、海外メーカーは2020年末からワクチン提供を開始し、各国がその奪い合いに奔走しています。

2021年3月末の時点で、世界で実用化されている新型コロナウイルスワクチンは10種類以上あります。日本の企業も開発を行っていますが、比較的小規模なメーカーが多く、いずれも実験段階にとどまっており、使用承認を得られているものは一つもありません。

さらに、海外のワクチンメーカーへの治験協力やトップによる交渉といった積極的なアプローチによる早期ワクチン確保もできていません。

日本のワクチン開発に時間がかかる理由として、製薬メーカーの規模や力量に加え、官民合わせた投入資金の額が不足していることや、感染者数の少なさが治験をスピーディーに進めるうえでのハードルになっていることなどがあると思います。一方で、根底には有事における国産ワクチン開発の早期実現に向けた体制がとれなかったこと、そして戦後の日本がウイルス研究を意図的に忌避してきたという事情もあったと思います。

今回、アメリカ、イギリスに加えて中国、ロシア、さらにインドが1年以内という短期間にワクチンを実用化することができましたが、日本は完全に周回遅れとなってしまいました。また日本では国産ワクチンについてアメリカのような緊急使用許可制度もなく、安全性の観点から早期承認に後ろ向きな意見も根強くあります。

国産ワクチン開発の迅速性と安全性を両立させることができず、従来の枠組みを引きずってしまったことは大いに反省しなければなりません。

また今回のワクチン開発においては、アメリカも中国も、産、官、学そして軍事部門の知恵と設備を結集して行ったと聞いています。早期のワクチン開発に至ったロシアも状況は同じでしょう。

もちろん、軍事目的でのウイルス研究はあり得ない、あってはいけないことですが、もしもの事態が起こったときに国民の命を守るのも、ウイルス研究から得られたワクチン開発の知見です。

どんな民生用の技術であっても、軍事部門への転用の可能性は秘めていますし、その逆もまたしかりです。

高性能のカメラの技術は、追尾型ミサイルの目として使えますし、高度の塗装技術はレーダー探知を困難にするステルス戦闘機に応用が可能です。要するに技術には境目がないのです。これをデュアルユース（軍民両用）とも言います。

現在、開発が盛んなドローンについても、中山間地域での宅配やインフラの点検、災害時の被災者の捜索など、平和的な活用が期待される一方で、使い方によってはテロの道具にもなりますし、軍事用の殺りく兵器にもなります。

「軍事に転用できるから」という蓋然性を云々することも大事かもしれませんが、純粋に「万が一のときに、わが国の国民の生命を守るためにはどんな研究が必要なのか」を真摯に考えることが肝要ではないでしょうか。

安全保障を専門とする慶應義塾大学総合政策学部の神保謙教授は「無人化システム、ロボティクス、ＡＩ、量子技術などの先端技術の応用によって、将来における戦場の優位が決まる」と述べておられます。成人人口が減少する日本では、今後、技術によって安全を守ることがますます重要となっていくはずです。

世界の中で、最もワクチン接種のスピードが速かったイスラエル

新型コロナウイルスワクチンについては、開発の遅れだけでなく、ワクチン確保の遅れも問題視されています。

日本で接種が始まったのは２０２１年2月半ばでしたが、その時点ですでに世界の70

を超える国や地域で接種が開始されており、日本はG7の中で最も遅いスタートとなりました。

逆に、世界の中でも特にペースが速かったのはイスラエルであり、2020年12月半ばに高齢者優先で接種が始まり、2021年3月末時点で、国民の約6割が1回目の接種を受け、国民の5割が2回目の接種を終えています。

2021年1月時点では、1日の新規感染者数が8000人を超える日もあったイスラエルですが、ワクチン接種と厳しいロックダウンにより、3月末時点の1日の新規感染者数は500人前後に収まっています。

イスラエルでこれほど早くワクチンの確保が進んだ理由はどこにあるのでしょうか。

2021年1月に世界経済フォーラムの「ダボス・アジェンダ」がオンラインで開催されましたが、イスラエルのネタニヤフ首相の言葉は自信あふれるものでした。

「ファイザーとは21回電話会議をした。モデルナのCEO（最高経営責任者）とも話をしている。ワクチンの獲得にはリーダーの個人的なリーダーシップが必要。これはもう戦争のようなもので、ワクチンをしっかり確保しないといけないし、それをきっちり供給しないといけないから」。

首相自ら製薬会社のトップと何度も電話で交渉をして、接種後のワクチンの効果についてイスラエルのデータを提供するというオプションまで付けたというのです。しかも値段は度外視という姿勢で、ワクチンを素早く確保したと言います。

もちろん、お金のある国がワクチンを独占すべきではないという国際的議論は承知していますが、オリンピック・パラリンピックを前にワクチン確保が大きく遅れた日本から見れば、先を読んだ有事のリーダーシップは流石と思いました。

しかし同じことを日本ができるでしょうか。

「ワクチン買い付け疑惑」「諸外国の倍の金額で購入。ファイザーの関連会社には○○大臣の親族が」「市民団体が訴訟へ」といったテーマでワイドショーや国会が取り上げることが、残念ながら容易に想像できます。

有事には最悪を想定して対応するため、平時とは違うスピード感や交渉における取り引き材料が必要になることもあるでしょう。

政府の危機管理意識はもちろんながら、国民自身の有事リテラシーも、常に戦争と隣り合わせのイスラエルと日本では大きく異なると言えるかもしれません。

ほかにも、緊急時に未承認薬などの使用を許可する仕組みや、ワクチンを接種する人材について、薬剤師などを認めず医師と看護師に限り、歯科医師も厳しい条件付きとするなど、さまざまな理由によってワクチンの確保と接種体制の確立が遅れているのです。

軍事研究の否定と、民間の技術開発力の低下

私は、もちろん戦争など起こってほしくはありません。戦争をくぐり抜けてきた先人の経験と教訓は真摯に受け止めるべきであり、直接的に戦争をしなくても国をしっかり守れる状態が続くことが大切だと思っています。

一方で、軍事研究を頭から否定することは、技術開発力や防衛力の低下をもたらすとい

う現実からも目を背けてはなりません。

第二章でお伝えしたように、エストニアの電子化推進の基盤となったＸ－Ｒｏａｄという技術は、軍事研究施設から民間企業になった会社が手掛けていますし、現在、私たちが当たり前のように使っているＧＰＳも、そもそもは米軍が開発したものであり、今もアメリカ政府のコントロール下にあります。

ドローンも同様です。近年、映画やテレビ番組だけでなく、個人でもスケールの大きな空からの映像を簡単に撮影できるようになりましたが、一方で、危険な地域を無人で偵察するため、各国の軍隊がこぞってドローン技術を進化させています。

軍事研究を基に発達した技術が民間に応用され、人々の利便性を高めているケースが、世の中にはたくさんあります。

軍事研究を完全に手放すことは、ときには技術開発力の低下につながるのです。

今後、テロリストは、加害者が判明しにくく、コストも抑えられるバイオテロなどに着目する可能性が高いと考えざるを得ません。
テロリストらがどのような攻撃を仕掛けてくるかわからない中、あるいは、どのようなパンデミックが起こるかわからない中、日本も国を守る手段と技術だけは、最低限備えておかなければなりません。

現時点では、新型コロナウイルスのワクチンさえ、海外からの輸入に頼っている状態ですが、もし海外でワクチンが足りなくなり輸入できなくなれば、日本はたちどころに困ってしまいます。

万が一、日本国内だけで特殊な変異株がまん延した場合、海外の企業がそれに対応するワクチンを作ってくれる保証もありません。

ＧＰＳやドローンなどに関しても、ひとたび紛争が起これば、海外の技術やシステムを利用できなくなる恐れがないとは言い切れません。

有事に対応できる体制を整えるためには、自国で技術開発を行い、設備やシステムを保持しておく必要があるのです。

さらに、近年、各国は宇宙開発にしのぎを削っています。

月着陸船と無人探査機の打ち上げを目指す宇宙スタートアップであるｉｓｐａｃｅのＣＥＯ、袴田武史氏によると、資源の面からも月が注目をされていると言います。太陽の燃焼と同じ原理を持つ核融合発電は、温室効果ガスを一切排出しない未来のエネルギーとして期待されていますが、この発電の燃料となるヘリウム3は地球上にはほとんど存在しないため、月面上にあるヘリウム3資源の確保も視野に入れて、ＮＡＳＡや中国、ロシアが宇宙の開発に力を入れているというのです。また、ヘリウム3のみならず、月に存在する水から水素を取り出し、それをエネルギー源として宇宙で活用することが近年注目されており、そのために、宇宙資源の所有権・利用権の法的な整備の議論が進み始めているそうです。

日本でも、さまざまなビジョンを持って宇宙開発のベンチャー企業などが衛星の打ち上げを行っており、２０１９年12月には、福岡市に拠を構える宇宙開発のスタートアップであるＱＰＳ研究所が、小型ＳＡＲ（合成開口レーダー）衛星「イザナギ」の打ち上げに成功しました。民間企業がこの衛星の観測データを活用して新たな事業を生み出すことが期待されます。

しかし前出の袴田氏によると、日本の民間の宇宙業界には優れた技術者はいるものの、経営力と資本がほとんどなく、この点を解決しない限り、民間で宇宙事業は進んでいかないとのことです。本来は国家予算も含めて、資本投入規模を拡大して、スピード感を持って研究開発を行っていかないと、これからの時代をリードする宇宙産業の分野でも取り返しのつかない遅れをとってしまう可能性があります。

「国家による情報の管理」に、ただ漠然と不安を覚え拒否感を示すことが、結局は行政サービスの低下やセーフティーネットの機能不全を招いているように、有事への備えをタブー視し過ぎることは、危機管理能力の低下、技術力の低下など、さまざまな弊害を生み出し兼ねないのです。

なぜ日本はロックダウンではなく「自粛」なのか

有事想定をタブー視することによる弊害の事例はまだあります。

中国は、コロナウイルスの感染拡大初期の段階で、感染者が多く出た武漢市を都市ごと閉鎖しました。もぬけのカラになった武漢の街並みや、道路にバリケードを築いて入念に検問を行う映像は世界中に配信され、まだ感染が深刻でなかった世界の人々を驚がくさせました。

「一党独裁の中国はやることが違う」と感じた人も多かったと思いますが、コロナウイルスの感染が世界中に広がるにつれ、民主主義国家であるアメリカやヨーロッパの国々も、次々に都市のロックダウンに踏み切りました。

あくまで行動自粛の要請にすぎない日本の緊急事態宣言とは異なり、これらの国のロックダウンには強制力が伴います。違反者には、罰金や禁固刑が科せられるのです。単なる国民への要請ではなくて、「国家が、ある目的を達成するために、公権力をもって外出や移動という国民の私権を制限する」ということです。

考えてみれば、日本の「自粛」という言葉は「自ら進んで慎むこと」であって、自粛を要請されること自体に矛盾を感じますし、進んで慎まなかったとしても非難されるいわれはないはずです。単に補償をしたくないから自粛を暗に強要しているのではないかと思った人も多いと思います。

では、日本で諸外国と同様のロックダウンを行うことができるのでしょうか。答えは「ノー」です。なぜならそのような権限が、日本の国家には付与されていないからです。

実は、ロックダウンを行った多くの国々の憲法には、「国家緊急権」というものが定められています。聞きなれない言葉ですが、国家緊急権とは、国家に緊急事態が起こった際、政府が通常の統治秩序では対応しきれないと判断した場合に、憲法秩序を一時停止し、秩序の回復を図る権能のことを言います。憲法秩序が停止することによって、一部の機関に大幅な権限が付与されたり、人権保護規定が臨時的に停止されたりするのです。

もちろん国家緊急権の権能や国民の私権制限の内容は各国によってまちまちです。多くの欧州諸国では、ロックダウンの実施に当たり、各国の法律に従って厳しい外出制限と、罰金や禁固刑などを伴う強制力が課されました。

こうした国家緊急権の規定は、明治憲法にはありましたが、戦後に作られた日本国憲法には存在しません。憲法を制定する段階で、「日本は、戦争を前提としない国になったのであり、国家緊急権は必要ない」ということになってしまったのでしょう。

万が一の事態を想定して準備をするのが、危機管理

緊急事態の想定の一つである大規模災害についていえば、幸いにも日本は、災害発生時に、暴動や略奪がほとんど起こりません。もちろん、災害時の窃盗などの犯罪が皆無だとは言いませんが、ニュースで見る海外の映像のように、混乱に乗じて商店やスーパーに群衆が押し入り、商品を略奪していくといったことは、近年の災害発生時には起こりませんでした。両手いっぱいに盗んだ商品を抱え、血走った目で走り去る人々の映像を観て、多くの日本人は、仰天するとともに、「日本ではあり得ないことだ」と感じるはずです。東

日本大震災の際の、被災者のみなさんの秩序だった行動は、驚きと敬意の念をもって世界に伝えられましたし、当時は私も日本人の一人として、心底、日本を誇らしい国であると思いました。

だからといって、国家緊急権のような緊急事態に対応する法整備の備えが必要ないとは言えないと思います。

たしかに、新型コロナウイルスの人口当たりの累計死亡者数を見ると、日本は欧米と比較して圧倒的に少なくなっています。日本における致死率は２％弱で、感染が拡大したとはいえ、２０２０年の日本国民の全死亡者数はその前年を下回っています。

しかし、もし次に来る何らかのウイルスの致死率が20％や30％だったとしたらどうでしょうか？　今回、不幸中の幸いだったと言えるのは、将来のこの国を担っていく赤ちゃんや子どもたちへの健康被害の例が少ないということですが、次にやってくるウイルスが抵抗力のない乳幼児や、いたいけない子どもたちの命から真っ先に奪っていくウイルスだったらどうでしょうか？　かけがえのない幼い命が目の前で次々と奪われているのに、それでも我が国はロックダウンはせず、「日本は法律上、欧米のようなロックダウンはできないので、あくまで自粛を要請する」と繰り返すのでしょうか？　それとも、そうなってしまったときには、マスコミの煽《あお》りや世論の雰囲気に押されて、国は強制力を伴った行動を取るのでしょうか？

「できる限り、私権制限をすべきではない」というのが、戦後日本の基本的な考えですが、いざ本当に大変な事態が発生した際に、憲法や法律に想定されていないことを、ときの政府が空気に押されて裁量で行うことは、立憲国家としての枠組みを逸脱する行為です。そして私は、むしろそちらの方が危険だと思うのです。

万が一の事態を想定して準備をするのが、危機管理です。

新型コロナウイルスのまん延は、感染症が社会、経済活動に甚大な影響を及ぼすこと、そして日本が危機に対して極めて脆弱な国であるということを図らずも証明してしまいました。

もしかしたら、次にやってくるウイルスは自然由来のものではなく、バイオテロかもしれません。不測の事態が起こっても、国民を守れるよう、感染症研究をはじめとした備えに本腰を入れること、また有事を想定した法整備を行うこと、この両面から危機管理を進めるべきときだと強く思います。

平時のルールを有事でも当てはめる力学による限界

なお、緊急事態と私権の制限という問題に絡めて、2020年に福岡市が経験した、クルーズ船の受け入れに関する出来事をご紹介します。

新型コロナウイルスがまん延する直前まで、福岡市の博多港は1年間に300隻あまりものクルーズ船が入港する、日本きってのクルーズ船寄港地でした。

そして、新型コロナウイルスの感染拡大が、まだほぼ中国国内にとどまっていた2020年1月、福岡市内で初の感染者が確認される約1カ月ほど前に、私は、「新型コロナウイルス感染のリスクが目前に迫る状況下で、博多港へのクルーズ船の寄港を当面拒否すべきである」と福岡海上保安部と福岡出入国在留管理局に要請したのです。しかし、国からは「感染症の可能性がある旅客が乗船している、というレベルの理由では入港や上陸の拒否はできない」との回答がありました。

平常時の入管法や検疫法の手続きでは、感染症陽性者をきめ細かく発見することは困難です。しかし、自治体の長が船舶の入港を拒否できる法的な根拠はありません。

こうした一連の流れを、私は自身のSNSに投稿したのですが、それが「患者以外の入港阻止にまで踏み込んだ見解は議論を呼びそうだ」と懐疑的な論調で新聞記事になり、入港や入国の拒否は外国人に対する差別ではないかという議論が、一部で起こりました。

ところがその後、2月3日に発症者を乗せたダイヤモンド・プリンセス号が横浜港に寄港し、乗客、乗員を長期間船内で隔離するという事態が発生する中で、この議論と私に対する批判は、静かに消えていきました。

この一件を通じて私が残念だったのは、中央省庁が「未来に起こりうる有事」を認識しているにもかかわらず、平時の対応の延長線でしか事態への対処をしようとしなかったことです。

有事の最たるものは戦争ですが、それだけではなく、パンデミックや大地震など想定外の事態は、今後もいやおうなしに日本に襲いかかります。

万が一の有事を想定した新たなルールを作るには、政治的にはもちろん、行政的にも相当の労力を要します。野党やマスコミの批判を浴びることは必定ですし、政治家の答弁を裏で支える官僚の作業と残業が格段に増え、官僚としての得点にもならないと判断すれば、平時のルールを有事の際にも当てはめて行動した方が、行政的には得策であると考えたくもなるでしょう。そうして、最悪の事態の準備はせず、ことが起これば現行の法体系の枠組みの中で、解釈だけで権限を拡大して一時的に行動すればよいという考えに落ち着きます。

しかし、感染症の危機を回避するという理由であっても、入国や入港を規制できないという主体性のない国の対応は、この際改めるべきですし、有事の際の入国、入港管理の仕組みを平時から考えておくべきです。

ことが起こってからの法律の過度の柔軟な解釈は危険ですし、法治主義の原則に反するものでもあります。

基本的には、福岡市は、平時においてはクルーズ船の寄港は歓迎です。ただ、外国人観光客に街を開くというアクセルを踏むためには、ブレーキの整備も必須なのです。

私は福岡市民の安全安心が第一との考えのもと、「コロナウイルスが目前に迫る状況下で博多港のクルーズ船の寄港を当面拒否すべき」という考えを実行に移すため、2020年2月3日に外国クルーズ船社に対して、博多港への中国発着のクルーズ船の配船自粛をお願いしました。

しかし日本全国で特段の統一的なルールがない状況だったので、その後もクルーズ船を受け入れた港もあり、全国で対応がバラバラでした。

このため、6月には感染症のワクチンや特効薬が開発されるまでクルーズ船の岸壁利用を拒否できるという福岡市独自のルールを策定しました。

本来は、海であれ空であれ、有事における入港や入国などの規制については、さまざまな状況を想定し、統一した基準に従って地方自治体が対応できるよう、国として責任を持って規制の考え方や仕組みをアップデートしておくべきだと思います。

中途半端な水際対策が事態を長期化させる

また、入国時の水際対策に関しても、ヒヤリとするような出来事がありました。

福岡市では2021年2月に、海外からの技能実習生の支援などを行う事業協同組合の宿舎で、14人のクラスターが発生しました。実習生たちは日本へ入国後、決められた2週間の健康観察を行うため、宿舎での隔離期間中だったのですが、それぞれの個室は準備されていたものの、実は食堂で全員一緒に食事をしており、受け入れた組合は隔離期間中であるにもかかわらず、一堂に会しての講習も行っていたとのことでした。

この組合の日本人の講師が発熱し、陽性者であると判明したため、実習生に対してPCR検査を実施したところ、1人を除き全員が陽性でした。そこで、保健所が疫学調査を行い、隔離期間中の実態がわかったのです。

この件では幸いにも、実習生が実習先に行ってしまう前に陽性であることがわかりました。しかし、もし彼らが宿舎に滞在している間に日本人の講師に症状が出なければ、感染に気づかないまま、実習先に派遣されてしまうところでした。運良く大規模な感染の拡大を事前に防ぐことができ、胸をなでおろしましたが、実習生が介護施設に派遣される可能性もあったわけです。それを考えるとぞっとします。

この2週間の隔離については、国が本人や受け入れる団体から、他者と接触しないことや公共交通機関を使わないことなどを遵守する誓約書を提出させていました。

また海外からの入国者には、入国した空港などからの移動に際し、電車・バス・タクシーなどの公共交通機関を使わないよう要請が出されましたが、多くの訪日外国人や帰国した日本人の入国後の行動はチェックされませんでした。今回のように発症者が出て初めて、隔離体制の甘さが明らかになるというケースは少なくないそうです。

一方で、諸外国では入国後、政府指定のホテルなどで一定期間待機することを義務づけ、陰性であることを確認してから自由な活動を許す、身体に取りつけたＧＰＳで行動を管理し、これを取り外すと当局に自動的に警報が送られるようにするなど、隔離や行動制限の実効性を担保するシステムが取り入れられています。

日本でも、隔離や行動制限に関して実効性のあるやり方を取り入れることは必要です。それは日本国民に、「海外からの入国者は安全だから心配ない」という安心感を与え、入国した外国人を不当な差別や偏見から守ることにもつながります。

もちろんこの仕組みは、日本に入国する外国の方だけではなく、海外から日本に戻ってくる日本人にも適用されるべきです。

先ほども触れたように、福岡市では、クルーズ船の寄港に関し、市民の安全が確保できないと判断した場合には、船舶に対する岸壁の利用を拒否して、博多港には着岸させないという仕組みを独自に作っています。博多港の管理は福岡市が行っているので、独自のルールの策定が可能でしたが、福岡市内のもう一つの入国の玄関である福岡空港は国の管轄であり、市がルールを定めるというわけにはいきません。

海外から入国した方々に対して、身体にGPSなどを取りつけたり、政府が指定したホテルに一定期間隔離するなど、強権的な形で私権を制限したりすることは控えたいという気持ちはわかります。

しかし、緩い入国管理によって国内に感染が広がり、その結果、緊急事態宣言などによる外出の自粛要請や飲食店などへ休業要請をすることになれば、結果的に多くの国民の移動や活動という私権を大きく制限することになってしまい、本末転倒です。

私たちは、いったい何から何を守ろうとしているのかわからなくなってしまいます。

もちろん、こうした隔離や行動制限は、大規模な感染症が発生したときなどの有事にのみ発動させる仕組みにしておけばいいのです。世界中にワクチンや治療薬が普及すれば、これまでどおりの入国管理ができ、またたくさんの外国人の方々に、自由にビジネスや観光で日本を訪れていただくことができます。

これも、緊急事態において、「何を優先的に守り、何をやむを得ず棚上げにするのか」という問題です。現在のような中途半端な水際対策が、逆に事態を長期化させているという現実を直視して、感染症発生時など新たな想定も加えたうえで抜本的にそのあり方を再検討すべきだと思います。

教科書に沿った授業動画を文科省が速やかに作れないわけ

ＩＣＴで学び方と教え方が大きく変わる

新型コロナウイルスがまん延し、小中学校が閉鎖に追い込まれる中で、欧米各国では子どもたちに対するリモート教育が盛んに行われました。

日本のＩＣＴを活用した教育は欧米に比べて、残念ながら周回遅れであると言われています。その理由としては、パソコンやタブレットの配備、通信環境の整備が不十分であることに加えて、教員のＩＣＴ活用スキルの不足などの問題が挙げられます。

福岡市でのＩＣＴ教育の取り組みについて少しお話しすると、２０２０年2月末に、福岡市の学校に対しても国からの休校の要請がありましたし、その後の学校再開時にはクラスにコロナに対する陽性反応のある児童生徒が出れば、学級閉鎖も行っていました。

そうすると、当然ながら学校の授業に大きな遅れが生じます。福岡市では2020年の11月末には全児童生徒にタブレットの配布が完了しましたが、配布の次に検討したのはタブレットを活用した効率的かつ効果的な授業スタイルでした。

タブレットという新しいデバイスを活用することによって、学習のインプットはタブレットのわかりやすい動画を見ながら行い、わからないところが出てくれば、そのフォローを個別に先生が行うということができるようになります。先生は、「teach」という教える役割からコーチやメンター的な役割になるのです。

こうすれば、日本中どこにいても同レベルで学びが保証されますし、児童生徒が必要と思えば、過去の授業を学び直すこともできます。子ども達が「当たりの先生」「ハズレの先生」と一喜一憂することもなくなります(笑)。

タブレットが配られて、デジタル教科書の導入を本格的に議論し始めたこのタイミングで、文部科学省が教科書に沿った高品質の動画を速やかに作ってくれれば、テレビでもオンラインでも配信できますし、休校になっても子ども達の学びを保証できるのにと、私は思っていました。

ところが、すんなりとはことが運ばない事情があったのです。

教育委員会によって使う教科書がバラバラ

小中学校や高等学校で使用される教科書は、国の行う教科書検定を受けた複数の教科書の中から、市町村や都道府県の教育委員会が、自分の地域ではどの教科書を使うのかを決定する仕組みとなっています。教える範囲や内容はどの教科書でも異なることはないのですが、教え方や教える順番などは、教科書によってまちまちです。

出版社もできるだけ多くの教育委員会に自社の教科書を採択してもらいたいわけですから、知恵を絞って基準の範囲の中で特色を出そうとするのは当然のことでしょう。

しかしコロナ禍で学級閉鎖になったり、学校が休校になったりする中で、リモート教育を推進しようとしたところ、ある問題にぶつかりました。

それは、全国で使われている教科書がバラバラなことでした。教科書が異なっているため、国が共通のデジタルコンテンツを作ろうとしても、なかなかうまくいかないのです。

複数の教科書が存在すれば、出版社の間で競争が働き、良い教科書が生まれるという利点はあるでしょう。しかし、転校生は教科書が変わると困るでしょうし、そもそも、日本の義務教育において、全国の教科書がバラバラである必要性があるのでしょうか？

戦前の国家による教育が国民を戦争に駆り立てたという反省から、国家が統一的に全国民を教育することは、軍国主義的な国民を育成することにつながりかねない、だから教育は政治から独立した地方の教育委員会に任せるべきである、という考えが戦後に生まれました。しかし、教育の仕組みの議論は置くにしても、子どもたちにとって、どの形の教育が効果的、効率的なのかという観点が最も大切ではないでしょうか？

学習指導要領自体は文部科学省が学識経験者などの意見を聞いて慎重に内容を決めています。その内容に沿った教科書や動画を作るわけですから、中立性を慎重に担保したうえで、基礎的な部分については統一的に文部科学省が一括でコンテンツを制作し、必要に応じて教育委員会ごとにその地域の歴史の学習を取り入れるなど、独自の副読本を使うというやり方がより適切ではないでしょうか？

この教科書問題は、日本の教育制度全体に関わる問題であり、一朝一夕に解決するのは困難であることは、私も理解しています。しかしながら、地方の教育委員会には財政的にも能力的にも差があるのが現実です。教育委員会ごとに教育のあり方の検討から教員のスキル向上、教育コンテンツの作成にわたる教育ＤＸを進めるには、相当な時間とコストがかかります。

ＤＸという大きな改革時期ですし、国ができる限りサポートすることが、地方にとっては大きな力になります。戦後の反省から国民を統一的に教育することに慎重なのは一定理解できますが、学習指導要領の範囲内で学習のベースとなる共通のコンテンツを作ることと、軍国主義的な国民の育成とは、別の次元の話なのではないでしょうか？

話はやや飛びますが、国民を統一的に教育するという視点で言えば、個人的には、免許に守られ淘汰の仕組みが働かない地上波放送の方が課題があるのではないかと思います。限られたチャンネルで同じような番組を流し、たった一夜にして国民が自覚しないうちに個人の感情と世論全体を形作ってしまう現在の地上波放送局の方が、よほど強大な影響力を持っていますし、学習指導要領の範囲内で共通の教科書やコンテンツを作るより課題があると感じています。

大災害時代へ向けた国土計画の見直しも必要

温暖化に伴い、これからの災害はスケールが変わる

これからの日本の街づくりを考えるとき、無視できないのが災害対応です。今、日本では、台風や大雨による災害の激甚化が進んでいます。特にここ数年、6月から9月にかけては必ず台風や大雨による水害が起こっています。

これは一時的な自然現象ではなく、将来的に台風はますます大型化していくと予想されています。

地球温暖化が進み北極圏の氷が溶けると、これまで氷によって反射していた日光を大地が吸収し、さらなる温暖化を引き起こすと言われています。すると、氷に閉じ込められていたメタンガスが放出されますが、メタンガスにはCO_2（二酸化炭素）の約25倍の温室効果があります。また、海水の温度が上昇すると、雨の量と台風の勢いが加速度的に上がっていきます。

異常気象と呼ばれている現象が、これからのスタンダードになるのです。

私は、世界経済フォーラム（ダボス会議）が設置する諮問委員会「Global Future Councils」の中の、45人で構成する「Cities of Tomorrow」という委員会のメンバーであり、国連のハビタット事務局長やヘルシンキ市長、ニューヨーク市国際関係委員などと「気候変動とレジリエンス」というテーマでオンラインやオフラインで、定期的にミーティングを行っています。

この委員会は、気候変動が世界的に極めて大きなリスクをもたらすという強い危機感から設置されたものです。

なお、環境省が2019年に公開したウェブサイト「2100年 未来の天気予報（新作版）」では、世界の二酸化炭素排出量が増加を続けた場合の未来を描いており、2100年の日本各地の最高気温は東京が43・3度、札幌が40・5度、福岡も41・9度という衝撃的な状況になっています。

高気温は熱中症被害を拡大させるだけでなく、大気を不安定な状態にさせるため、中心気圧870ヘクトパスカル、最大瞬間風速90メートルという超大型台風を作り出します。この規模の台風には、自動車はおろか、家屋をも容易に吹き飛ばす勢いがあり、過去の比にならない大災害をもたらしますし、崖崩れ、河川の氾濫リスクも、これまでを大きく上回ることになります。

これは2100年に急にそうなるわけではなく、温暖化の進行に比例して海水温が上がり、年々台風は大きく強く、雨量は多く、風は強くなり続けるのです。

大災害時代を前に、国土計画を見直すことを考える時期

将来的な災害の予測を踏まえると、山間部の川沿いや崖の下など、頻繁に大きな被害を受けている場所を、被害を受けるたびに復旧し、また住み続けられるようにすることが果たして正しいことなのか、中山間地域や海岸沿いなど、災害のリスクが高いエリアの居住計画をどうしていくのか、考えるべき時期に来ているのかもしれません。

さらに言えば、これまで氾濫したことがない川であっても、大雨や台風の規模が変わるため、今後はリスクが高まることも考えておく必要があります。

現在、津波や出水などの水災害や土砂災害の危険性が高い場所を、地方自治体が災害レッドゾーン（災害危険区域・土砂災害特別警戒区域等）に指定し、開発の抑制や建築物の構造規制、移転の勧告をすることができます。

一方、東日本大震災をはじめとした大規模災害の経験から、国も、自治体のコーディネートにより、リスクの高い地域からの集団移転を推進するため、補助金の交付などの施策

を実施しています。しかし毎年全国各地で想定を超える大きな被害が出ていることを考えると、これらの施策が活用されて、十分に効果を発揮しているとは言い難い状況でしょう。自治体も、住民の生活基盤を奪うような半ば強制的な移転の措置は難しいですから、今後も補助や支援など緩やかな方策で住民の移転を誘導するしかありません。

その地域にお住まいの方にとっては、大切な思い出の場所です。長い間受け継がれてきたその土地の歴史や文化もありますから、合理性だけを考えて「住むことに適した場所でないので移転を」などと軽々に言うことはできません。その人がどこに住むかは、個人の権利でもあります。

また、水害で大きな被害を受けたある過疎地域の自治体の首長さんとお話をした際、「被災して避難している住民が戻ってこないかもしれない」と心配されていました。人口減少と過疎化に悩んでいる地域にとっては、災害の可能性が高いエリアであっても、そこから人がいなくなることは、地域の祭りや自治が成り立たなくなり、地域の存亡に関わってきます。その苦しい思いを聞くと、こちらも胸が苦しくなります。

ただ、今後さらに海水温や気温が上昇することに伴い、災害の規模が大きくなってくることは間違いありません。今ですら毎年のように繰り返し被災している地域は、さらに高いリスクにさらされることになるのです。

地域の文化や歴史も大事。でも命を守ることも大事。

そう考えると、大災害時代を前に、短期的な時間軸でなく、30年といった長期的なスパン、たとえば、家の建て替えや結婚、家族との死別など人生の区切りのタイミングでそれぞれが住む場所を考える後押しとなるような国土計画の方向性を大胆に示し、全国的に進めていくべき時期に来ているのではないかと思います。

地方の声と、若者の声をどう国政に反映させるか

諦めに変わりつつある「地方の声」と「若者の声」

今の日本の閉塞感の原因の一つは、地域格差と世代間格差にあると、私は思っています。

国、都道府県、市町村というお金の流れや、画一的な規制や通知に縛られた結果、地方には、それぞれの個性を発揮する、新しいビジネスモデルやテクノロジーを活用して地域課題を解決する、といった工夫の余地がほとんどありません。

また、若者は世代間格差にも苦しんでいます。少子高齢化に伴い、高齢者と若者の人口のアンバランスが発生し、若者は政治的には少数派だからです。

若者の政治参加が進まないことや投票率が低いことがよく問題にされますが、今、もし若者の投票率が高齢者と同じになったとしても、人口で少数になる若者の声を政治に反映することは難しいのです。

こうして、政治は高齢者の方を向いた政策になる、そこに希望を持てない若者の投票率がさらに下がるという悪循環に陥り、「シルバー民主主義」の弊害がさらに顕著になっていきます。

私は、「地方」と「若者」こそが、この国の未来を作る、重要なプレーヤーであるべきだと考えていますが、やる気のある地方や若者がマイノリティーとなり、声を上げ続けることに諦めを感じてしまうことに、危惧を覚えています。

そして、彼らの声が反映されない現状のシステムを変えるべきだとも思っています。

ここで、解決策の一つとして提案したいのが、「首長の国政参加」と「世代間における一票の格差是正」です。

提言「首長の国政参加」

日本の国会は、衆議院と参議院による「二院制」をとっています。

世界には、二院制をとっている国がたくさんありますが、その理由は、議員の選挙方法や選挙時期が異なる2つの議院でそれぞれに議論をすることで、「国民のさまざまな意見をできるだけ広く反映させやすくする」「審議をより深く慎重に行う」「一つの議院の行き過ぎを抑えたり、一つの議院では足りないところを補ったりする」といった点にあります。

しかし、現在の日本の国会では、残念ながら二院制をとっている意味があまりなく、衆議院と参議院のカラーの違いを感じられる国民もほとんどいないのではないでしょうか。

その理由の一つは、もしかすると、日本の「政党政治」にあると言えるかもしれません。政党政治においては、議員は、基本的には自分が所属する政党の方向性に従います。衆議院でも参議院でも同じ政党（仮にA党とします）の議員が多数を占めている場合、いくら議員の選出方法や選出時期が違っても、たいていはA党の方針に基づき、同じ結論が下され、衆議院で決まったことが参議院で覆されることはほとんどありません。

逆に、衆議院と参議院、それぞれの多数を占める政党が異なる場合は、「ねじれ国会」と呼ばれ、衆議院で決まったことが頻繁に参議院で覆されるようになり、なかなか審議が進まなくなります。

政党政治のもとでは、二院制をとっていようと、衆議院と参議院の役割や議員の選出方法などが異なっていようと、結局は「どの政党がどれだけ議席を取ったか」に左右されてしまうのです。

では、どうすれば、二院制をとるメリットが発揮されるようになるのでしょう？　衆議院と参議院のカラーを、明確に分けることができるようになるのでしょう？

そもそも、「二院制をとる」こと自体が有効なのか、正解なのかについても議論の余地がありますが、仮に二院制を残すのであれば、私は参議院議員に、地方自治体の首長を活用していくとよいのではないかと思います。

地方自治体の首長が、参議院議員を兼務できるようにするのです。

フランスでは、首長が国会議員を兼ねたり、地方議員が国会議員を兼ねたりすることが認められているのですが、そのメリットとしては、「地方の声が仕組みとして国政に反映されるようになる」「首長の給料は各地方自治体から支払われるため、歳費（国が国会議員に支給する手当）をかなり抑えることができる」といったことが挙げられます。

本来は「基礎自治体優先の原則」があるにもかかわらず、お金の流れが逆になっているため、それがなかなか実現されていない現状については、すでにお話ししましたが、地方自治体の首長が参議院議員を兼務するようになれば、国と地方が仕組みとして対等の立場になり、地方の声が尊重されるようになります。国のご機嫌を取りながら、予算の陳情をする必要性が大きく減ります。

しかも、地方自治体の首長は政党に属していないことが多く、政党の意見に左右されることも少なくなり、既得権を壊すような改革を進めやすくなることも期待できるのではないかと思います。

ちなみに、地方自治体の首長が参議院議員を兼務できるという話が持ち上がっても、自らの立場に危機感を感じる国会議員からの反対で実現されないことが容易に想像できます。

ですから、現実的には「参議院議員が首長も兼務できる」という表現にして、制度を作る側の権限を奪うのではなく、増やすという建て付けで進めた方が、実現可能性が高いかもしれないとも思います（笑）。

いずれにしても、「参議院＝地方の声を反映する」「衆議院＝国家全体にとっての最適を考える」という性格づけができれば、両院の存在意義もより明確になるのではないでしょうか。

提言「若者の一票を高齢者の一票より重くする」

また、若者と高齢者の一票の格差も問題と考えています。

医療技術の進歩、生活環境の向上などにより、日本は世界でも有数の長寿国となりました。一方で、少子化が進み、全人口に占める高齢者の割合が高まっています。今、日本全体の人口に占める20代の割合は10・0%、30代は11・0%、合わせても21・0%にすぎません。一方、60代以上は34・5%を占め、20代、30代の約1.5倍のボリュームです。

寿命が延びること自体は、もちろん喜ばしいことです。

しかし、選挙におけるボリュームゾーンである高齢者に配慮した施策が優先される、いわゆる「シルバー民主主義」の弊害は、これまで多くの人に指摘されています。

高齢化の進展に伴い、一人一票という現在の選挙制度では、この先何十年も生き、納税者として国を支える存在であり、未来への責任がある若者たちが、自分たちの国の将来を決めることができないシステムになっています。

選挙で一票を投じても、自分たちの世代の意見が反映される可能性が構造的に低いのであれば、若者が日本の未来に対し、諦めの感覚を持ってしまうのも無理はありませんし、ますます投票に行かなくなるという悪循環に陥ってしまいます。これからの5年を中心に考え投票する人と、今後70年生きていく前提で投票する人とでは、それぞれ大事に考えるポイントは異なるでしょうし、どちらも大切です。ただ、これからの日本の未来に責任を持つ世代の言葉には、もっと真剣に耳を傾けていく必要があります。

そこで、世代間の人口格差を是正するために提案したいのが、選挙結果に多様な世代の意見を反映させる仕組みの導入です。つまり、未来に対してより責任の重い若者の意見が、人口が少ないという理由で抹殺されず、社会に反映されやすくしていくことです。

では、具体的にどういった方法があるのでしょうか。イェール大学の成田悠輔助教授によると、シルバー民主主義を打開して、若者の声を反映させる選挙の仕組みとして、①投票者の平均余命が長いほど票に重みをつける、②選挙権のない子の親に代理投票権を与える、③ある世代だけが投票できる世代別選挙区を作り世代ごとの代表を国会に送り出す、などの方法が考えられると言います。

実際に２０１６年のアメリカ大統領選挙結果を、平均余命で票を重みづけして補正した場合、結果が異なっていたと言います。ヒラリー・クリントン氏の全国平均得票率が約43％から約63％と過半数に達し、当選していたというのです。他にも、イギリスがＥＵ

脱退（ブレグジット）を選択した国民投票も、平均余命で票の重みづけを行うと、投票結果がひっくり返っているというから驚きです。

また、ドイツやハンガリーの国会では「未成年で選挙権を持たない子の親に代理投票権を与えるアイデア（ドメイン投票方式）」が審議されたことがあるそうです。

高齢化が進む日本においては、選挙権は18歳以上に引き下げられましたが、民主主義の根幹である選挙においては、若者の世代はこれから数十年ずっと人数的にマイノリティーであり続けます。

ここでご紹介したような新たな選挙の仕組みの導入は、電子投票すら実現出来ていない日本にとっては、かなり大胆な提案であるとは思いますが、若者から見た不平等、不公平な状況を是正し、自分たちの声で社会を変えられる仕組みを作ることが未来への希望につながるのではないでしょうか。

改革が必要な日本の医療提供体制。なぜコロナ専用病床は増えないのか

国民にばかり我慢を強いていないか

新型コロナウイルスが世界中にまん延してから、1年以上が経過しました。海外ではロックダウンなどの措置が取られる中、日本でも緊急事態宣言が出され、外出自粛や休業要請により、経済は大打撃を受け、国民生活も大きな影響と制約を受けました。

経済を止めることによって、倒産や失業を招き、自殺の増加も懸念されるなど、それこそ命に関わる重大な問題が起きています。

また、子どもや若者にとっての1年は、大人にとっての1年とは重みが違います。入学式や修学旅行、部活動の大会がなくなったり、大学の授業がオンラインのみになったりするなど、一生に一度の経験ができず、やり場のない悲しさや憤りを感じた人も多いのでは

ないでしょうか。

では、なぜ、これほどの大きな痛みを伴う措置を取る必要があるのか？

政府や新型コロナウイルス感染症対策分科会、医師会は、医療提供体制を守り、医療崩壊を防ぐためであると説明しています。

医療提供体制のひっ迫に関わる指標の一つが病床使用率です。その分母はコロナ病床の数で、分子は入院につながる陽性者数です。これが高まることが、医療のひっ迫をもたらすといわれています。

国内での感染者の確認以降、分子となる陽性者数を増やさないために、国民はずっと我慢を強いられてきました。しかし、そもそも分母であるコロナ病床が増えていないのではないか、単に自粛と緩和を繰り返しているだけではないかという不満が国民の中に渦巻いています。

現場で懸命に働いている医療従事者のみなさんには、多くの国民が心から感謝をしています。しかしさまざまな状況が報道される中で、一部の医療機関の医療従事者にばかり負担が集中しているのではないかという疑問と、なぜこれほどの有事にもかかわらず、1年経ってもコロナ病床が大幅に増えていないのかという不満が、日を追って高まっているのです。

日本医師会の中川俊男会長は、政府に先んじるように頻繁に会見を行い、病床使用率を上昇させないために、分子の感染者数を抑えること、すなわち国民の行動を抑えることについてはカメラの前で強い口調で危機感を語り、政府には緊急事態宣言などの措置を求めていますが、自らの会員が所属する病院の病床を増やすこと、すなわち分母を増やすことについて熱を持って話す姿は、ほとんど見られません。

ここに国民の不信と不満が集まっているのだと思います。

病床は潤沢にあっても、コロナに使える病床が足りないわけ

では、医療提供体制はどういう構造で決まっていくのでしょうか？ それを考えるうえで、日本のコロナ関連の指標が世界と比較してどうなっているのかを知る必要があります。

まず、感染状況についての指標です。

2021年3月8日時点の「フィナンシャルタイムズコロナウイルス追跡」(Financial Times Corona Virus Tracker)」によれば、人口10万人当たりの新型コロナウイルスでの累計死亡者数は、イギリス186・4人、アメリカ159・3人、日本は6.5人です。

人口10万人当たりの累計陽性者数は、アメリカ8798・8人、イギリス6315・5人、日本348人となります。

さまざまな要因があるでしょうが、日本はほかの先進国と比較すると感染を低く抑えており、比較的優秀であると言えるでしょう。

次に、医療提供体制に関する指標です。

OECDのデータによれば、1000人当たりの全病床数は、イギリス2.5床、アメリカ2.9床ですが、日本は13・0床と、米英の4〜5倍の病床を有しています。

一方で、全病床に占めるコロナ病床の割合は、2021年2月23日付の日本経済新聞によると、イギリス22・5%、アメリカ11・2%、日本0・87%となっています。

つまり、日本の場合、病床に関しては潤沢にあるものの、コロナに使える病床が足りないという状況が問題なのです。

なぜ、このような状況になっているかというと、日本の医療体制は小規模・分散型で、かつ民間の病院が多いためです。

地域で気軽に診てもらう病院は充実している割に、今回のコロナのような未知の感染症に対し、感染対策を適切に行いながら治療ができる医療機関が少ないことが、こうした状況をもたらす大きな原因となっているのです。

民間病院の割合が多い日本の医療体制はどのようにできたのか

日本経済新聞に2021年3月3日から5回、5月1日から2回に渡り「コロナ医療の病巣」を連載した社会保障エディターの前村聡氏によると、このような小規模・分散型で民間の病院を増やす医療政策が進められてきたのは、はるか明治期にさかのぼるそうです。

明治初期には、各県に近代的な公立病院が設置されましたが、政府の財政難により、地方にあった公立病院は民間に払い下げられ、民間病院を主体として整備されることになりました。第二次大戦後も方向性は変わらず、診療所を拡充して病床数を増やした形の民間病院が多数あるという状況になりました。

さらに、戦後、国民皆保険が導入されました。それに伴い、医療分野の多様なニーズに対応するために病院を増やす必要が生じましたが、ここでも財政的な問題もあって、公立病院ではなく、民間活力によって病院が増えていきました。

これにより、国民の医療アクセスは確保できたものの、緊急事態に国が号令をかけて医療をコントロールできる余地が非常に小さくなったというのです。

こうした流れの中で、衛生環境の改善やワクチンの開発が進むにつれ、結核などの感染症は収束に向かっていきました。感染症対応の病床の役割は小さくなり、民間ベースでは採算が取れないことから、なるべく公立ベースで、かつ縮小していく方向に進んでいきました。

しかも、これらの感染症病床は、エボラ出血熱のような重症化するおそれの高い感染症を想定したものであり、コロナのような無症状や軽症が多く、感染スピードが速いものを対象としたものではありませんでした。

結局、公立病院と民間病院の割合、感染症病床の減少、そしてこれまでの感染症とコロナの違いなどの要素が重なり、感染症病床をコロナ病床として拡大していくことが難しかったのです。

ではどのように病床数を確保すべきなのか？

沖縄最大規模の急性期病院、沖縄県立中部病院の感染症医で、厚生労働省結核感染症課でパンデミックに対応する医療提供体制の整備に取り組まれた経験もある高山義浩氏によると、地域の「感染症指定医療機関」は、規模は小さいものの、重篤な感染症の患者が出たときにそれに対応するものであり、パンデミックの場合は「感染症指定医療機関」に限らず対応するという枠組みになっているそうです。

そのうえで、未知の感染症のために病床をあらかじめ整備しておくことは効率的とはいえず、平時の医療資源をいかに有事に対応させていくかが重要になります。また人員面での融通を利かせるためには、平時から医療従事者による感染症対策のトレーニングが必要であると、高山氏は指摘しています。

また、厚生労働省職員として2020年にコロナ病床の調整業務を担当していた久米隼人氏は、「感染抑制に成功している国は、感染拡大兆候があれば早期にロックダウンを行い、早期に解除し、経済を止める期間を可能な限り短くしている。日本も同じ発想でやってきたが、これまでの病床のひっ迫や今後の変異株の感染スピードを考えると、重症者用病床や、回復患者を受け入れる後方支援病院の確保も含めて、病床を一層確保していくことが、コロナ対応をしてくれている医療従事者の負担を軽減するためにも不可欠である」と言っています。

有事における医療へのリーダーシップの曖昧さ

感染症病床が少ない理由はもう一つあります。

それは、医療分野はリーダーシップが発揮されづらいということです。

コロナ病床が足りないのであれば、増やせばいいと誰もが思うはずです。

しかし、誰が号令をかければコロナ病床は増えるのでしょうか？　総理大臣なのか、厚生労働省なのか、あるいは都道府県知事なのか、各県の医師会長なのか。

このように、リーダーシップと責任の所在が曖昧であり、共同責任のような形になっていることが、結局みんなを無責任にさせているのではないかと、私は思います。特に有事の際は、リーダーシップの所在が明確であることが大切です。

では、仮に、厚生労働省が「コロナの最大確保病床を2倍にしましょう」という方向性を示したときに、誰が病床を増やすことができるのか？

実際に、2020年7月の新型コロナウイルス感染症対策分科会では、医療提供体制の再構築に当たっては、都道府県が主体となって推進し達成すると明記されました。つまり、知事が司令塔となるべきだとされたのです。

各地域に医療リソースがどれぐらいあるか、医師や病院の数、どんな専門性がある医療機関が集積しているかなどは都道府県によってバラバラです。ですから、都道府県知事がリーダーシップをとるように、となったわけです。

しかし、厚生労働省の方針だけで、知事がリーダーシップを発揮して実現できるかといえば、それは難しいのです。

全国的な知事と医師会長の関係性

医療は非常に専門性が高い分野です。しかも、地域の医療提供体制は行政の統制のもとにあるものではなく、ほとんど民間病院の集合体です。そういった分野で全体調整を図ろうとすると、専門外でかつ4年間という限定された任期の知事は、専門家に頼らざるを得ません。こうして各都道府県の医師会長が、医療提供体制を考えたり、地域の医療計画を作ったりするうえでの、実質的なリーダーになってしまうのです。

つまり、全体調整を図る側と調整を受ける側、言い換えれば規制を作る人と規制を受ける人が現実的には同一になるわけです。

また、地域の医療計画は6年ごとに策定することになっており、これは知事の4年という任期よりも長い期間です。場合によっては自分の任期中に地域医療計画の改定をしない知事もいます。

就任して2年後に地域医療計画の改定と言われても、就任前から作られている計画について、詳しい状況を理解し、途中から大きくその方向を変えるような指示を下すことは難しいのが現実です。このように、専門性と仕組みの両面から、知事が地域の医療計画の策定にリーダーシップを発揮しにくい構造になっているのです。

知事のリーダーシップに影響する要素として、政治的な動きも関わります。

もちろん例外はありますが、全国の多くの都道府県知事選挙の際には、有力な候補の後援会には地域の医師会長が名を連ねています。医師会にとって、地域医療計画を策定するのは都道府県の権限ですから、県知事との良い関係性を保てなければ死活問題になります。知事サイドも、選挙の際は医師会から物心両面で大きな支援を受けて当選することがあります。意見が一致して医療政策を進める場合には、地域のために強い力を発揮できる一方で、行政と医師会の意見が相違する場合に強いリーダーシップを発揮したり、厳しく意見したりすることは難しくなるのではないでしょうか。

この関係は、支援を受ける国会議員も同じです。ほかの産業や業界と同じように、選挙に積極的に関わることは、業界として制度を作る側を味方にする当然のロビー活動であり、その点で医師会も多くの国会議員や地方の県知事を味方にすることに成功しているのです。

医療に関して、現状を大きく変革する必要が生じるような有事は過去になかったことから、表立って話題になることはありませんでしたが、地域での医療の現状にはこのような構造的な背景があります。

新型コロナウイルスの感染拡大から1年以上が経過し、繰り返される医療の危機的状況に押し切られるように病床確保が進んだ地域もあります。しかし多くの地域では、分母である「コロナ病床を増やす」政策に関して誰がリーダーシップを発揮するのかが曖昧なまま、病床数は大幅に増えず時間だけが経過し、分子である陽性者を減らす、国民の行動を制限するというところばかりが前面に出てきている、というのが実態なのです。

医療政策の改革を断行する覚悟が必要

今後、ワクチン接種が進み、コロナ禍が収束を迎えたとしても、新たな感染症が発生したり、バイオテロなどの攻撃を受けたりする可能性は十分あります。それらが新型コロナウイルスをはるかに上回る感染力や毒性、致死率を持っていたらと考えるとぞっとします。

今回の政府の対応を見て、こうした有事が発生したときに対応できる体制とガバナンスをいかに作っていくかということが、日本国家にとって喫緊の課題であると、多くの国民が強く感じているはずです。

感染症病床は、平時には不採算な部門になっており、それが理由で減少していったわけですが、今回の件を教訓に通常の病院として採算を取れるようにしておきながら、有事には感染症病床に切り替えられるような体制、連携体制を構築することが重要です。

また、日本では、医師の数は国家試験の合格者によってコントロールしていますが、これでは全体の医師の数しかコントロールできません。日本の医療提供体制は、プロフェッショナルオートノミーという形で、国、すなわち政府や官僚の介入はできる限り避けて、医療の専門家がリードしていくという、戦後の世界的な潮流に沿って進んできました。

ちなみに、オートノミーは「自律」と訳されています。

しかし、過疎地域では産婦人科医が不足しているというニュースをしばしば耳にします。これは診療科ごと、地域ごとにどれぐらいの医師が必要なのかといったコントロールが行われていないことに原因があります。都市に医師が偏っているという問題は、コロナ禍でも話題になりました。

プロフェッショナルオートノミーという原則だけでは、これからの感染症時代には対応できないのではないでしょうか？ 医療資源が偏らないようにする調整を、厚生労働省がリーダーシップを発揮して行っていく必要があるのではないでしょうか？

政府がこれまでに行ってきた、営業時間の短縮や外出自粛などの私権制限は、国民の経済と生活に大きな影響を及ぼしています。私は、政府として、医療提供体制を大きく変えていく改革を、覚悟を持って断行していくべき時期に来ていると感じます。

今後、病床をどう増やしていくのか？ そして、有事と平時の医療提供体制の切り替えの実効性をどう担保するのか？

政府と厚生労働省による変革に向けた明確な行動なしに、国民にばかり自粛や営業時間の短縮を呼びかけても、国民の納得と共感、そして協力は得られないのではないでしょうか。

あとがき

2010年に、福岡市長選挙に初当選してから、早くも10年以上の月日が流れました。就任当時、福岡市政には先送りされた都市問題が山積していました。しかし、私は36歳と若く、行政とは無縁のアナウンサー出身という経歴の持ち主だったため、市民のみなさんの市政への期待は大きくなかったかもしれません。市政に対する信頼度もわずか41％と、まさに逆風からの船出でした。また就任当初は、何をしても、何を言ってもネガティブに捉えられ、批判され、「世の中には敵しかいないのではないか」という気分になったことさえあります。それでも福岡市を元気にし、一人でも多くの人にとって住みやすい街にするため、私は全力で走り続けてきました。

その結果、少しずつ仲間や応援してくださる方が増え、市政信頼度は、2020年度には83・9%と過去最高になりました。さらに、人口増加数、増加率ともに政令指定都市で1位となり、2013年度から2019年度まで、政令指定都市としては唯一、税収が7年連続で過去最高を更新しました。そして、福岡市は日本で最も元気な都市、最強都市とまでいわれるようになりました。

ところが、2020年、いきなり冷や水を浴びせられるような出来事が起こりました。新型コロナウイルスの感染拡大です。これまで幾度となく困難にぶつかり、乗り越えてきましたが、先の見えない、世界的規模の災厄に、さまざまな計画の変更を余儀なくされ、さすがに目の前が真っ暗になりました。

緊急事態宣言に基づく措置や医療調整は県の権限と責任とされましたが、それでも、住民に最も身近な基礎自治体のトップとして、コロナ禍によって困る人が一人でも少なくなるように、経済的な側面からの支援を中心に、必死でこの問題に取り組み、最前線で対応してきました。

現場を預かる基礎自治体には、「なぜ売上に基づいた補償が出ないのか」「定額給付金の振り込みはなぜ遅いのか」といった市民の声がストレートにぶつけられました。国民の命や生活を守るという肝心なときに、国民の情報を行政として有効活用することができない日本の現状を目の当たりにし、非常に歯がゆい思いをすることになりました。

正解のない問いを投げ掛けられる日々が続き、自問自答する時間も増える中で、私はふと、「新型コロナウイルスへの対応だけでなく、昨今の日本を覆っている閉塞感は、元を正せば同じ原因に行き着くのではないか」という思いに至り、その思いが次第に強くなるようになりました。

スタートアップ支援の現場で、さまざまな壁に阻まれて、思いや希望がなかなか実現せず、苦しむチャレンジャーたち。あらゆる批判を受け、八方塞がりの状態に陥っている国政。それらすべてが「変わることができない日本」「有事を想定することを忌避する日本」「平時から有事への切り替えができない日本」という戦後日本の構造的な問題につながっていることに気づいたのです。そしてこれは、市民の暮らしに近い基礎自治体でありながら、都道府県並みの権限を持ち、広い視野から社会を俯瞰《ふかん》することができる「政令指定都市」の長であるからこそ見えたものだと感じています。

私は、いてもたってもいられなくなりました。正体不明の病に冒され、ただ苦しむのと、原因が明確にわかったうえで、病に打ち勝つ方法を考えるのとでは、対処の仕方も効果も大きく変わってきます。この気づきを生かし、福岡市はもちろん、日本の将来のために、自分にできることはないかと考えるようになったのです。そんな矢先、日経ＢＰの編者である澤原氏から、「日本社会のあり方に対し、行き詰まり感を抱えている多くの方に、高島市長の気づきを届けたい」とお声掛けいただき、前著から約2年ぶりに筆をとることにしました。

本書には、私なりに考えた、日本を最速で変えるための方法やヒントを記しましたが、『日本を最速で変える方法』は、決して「日本を楽に変えられる方法」ではありませんし、本書で私が示唆した方法は、すべての人にとって「最適解」ではないかもしれません。しかし、人類がいまだ経験したことがない超高齢・人口減少社会、あるいは大災害時代やグローバルな大感染症時代の到来を前に、今、日本を大切に思うすべての人に「日本社会の閉塞感の理由を正しく認識し、与えられた環境の中で、最速でゴールにたどり着く方法を必死で考えること」が求められているのはたしかです。

理想論だけでは、社会は変わりません。一人ひとりが思考を変え、行動を変えることが、「日本を最速で変える」ことにつながります。他者の批判ばかりしたり、「べき論」を語ったりするだけではなく、言い出した人が、それぞれの分野でリスクをとって行動を始めることが大切です。

今の日本は、根深い問題をたくさん抱えていますが、見方を変えれば、より良い社会になる伸び代が大きく、たくさんのチャンスが眠っているとも言えます。これからの時代を担う若者やチャレンジャーたちが、「自分たち世代に明るい未来など来るはずがない」と戦意喪失するのではなく、力強く立ち上がり、自分たちの意志と行動で、未来を創造していける国、日本。

本書が、希望あふれる国づくりへ向けて行動するチャレンジャーの一助となれば幸いです。

２０２１年５月　高島宗一郎

福岡市長高島宗一郎の
日本を最速で変える方法

2021年5月31日　第1版第1刷発行

著者	高島宗一郎
発行者	杉本昭彦
発行	日経BP
発売	日経BPマーケティング 〒105-8308 東京都港区虎ノ門4-3-12
編集	澤原 昇（日経トレンディ）
編集協力	村本篤信
アートディレクション	細山田光宣（細山田デザイン事務所）
装丁・本文デザイン	柏倉美地（細山田デザイン事務所）
制作	浦谷康晴
印刷・製本	大日本印刷株式会社

ISBN 978-4-296-10938-8
Printed in Japan

本書に関するお問い合わせ、ご連絡は下記にて承ります。
https://nkbp.jp/booksQA